러시아 제국이 점령한 폴란드 땅에서 생긴 언어의 비극

아보쪼(A⋯B⋯C⋯)

엘리자 오제슈코바 지음
프란치스크 엔데르 에스페란토 번역
장정렬(Ombro) 옮김

아보쪼(A…B…C…)

인　쇄 : 2024년 3월 25일 초판 1쇄
발　행 : 2024년 4월 5일 초판 1쇄
지은이 : 엘리자 오제슈코바 지음
　- 프란치스크 엔데르 에스페란토 번역
옮긴이 : 장정렬(Ombro)
펴낸이 : 오태영(Mateno)
출판사 : 진달래
신고 번호 : 제25100-2020-000085호
신고 일자 : 2020.10.29
주　소 : 서울시 구로구 부일로 985, 101호
전　화 : 02-2688-1561
팩　스 : 0504-200-1561
이메일 : 5morning@naver.com
인쇄소 : TECH D & P(마포구)

값 : 10,000원
ISBN : 979-11-93760-05-5(03890)

러시아 제국이 점령한 폴란드 땅에서 생긴 언어의 비극

아보쪼(A···B···C···)

엘리자 오제슈코바 지음
프란치스크 엔데르 에스페란토 번역
장정렬(Ombro) 옮김

진달래 출판사

에스페란토 번역본 정보:

1909년 폴란드 로지에서 발간

(NOVA ESPERANTA BIBLIOTEKO. No 2.) 『A…B…C…』

Noveleto

de E. ORZESZKO

Esperantigis F. Ender

1909

LODZ (POLUJO)

STANISLAO MISZEWSKI

Librejo

PRESEJO: L, BILINSKI KAJ W. MAŜLANKIEWICZ, VARSOVIO, NOVVOGRODZKA 17

소장처:

Eldonejo Wydawnktwo

ESPERANTISTA voĉo

Biblioteka Narodowa

Warszawa

차례

Pri la aŭtorino

Eliza Orzeszko (Orzeszkowa) naskiĝinta en la jaro 1842 en Mintovŝĉizna ĉe Grodno (Litvujo) estas sendube la plej eminenta pola proza verkistino. El ŝiaj kreaĵoj fluas sento de altruismo, de amo por ĉiuj anoj de la homa societo, precipe por la laborantoj kaj suferantoj. Profunde virina, patrina amo karakterizas ŝian rilaton al la patrujanoj. Jam de kvardek jaroj ŝi nutras instruas, edukadas ilin per siaj verkoj, por kiuj la kondukantan ideon ŝi ĉiam ĉerpadis el plej pura fonto de boneco kaj nobleco. Batalante kontraŭ facilanimeco, aristokrataj pretendoj, egoismo, hipokriteco, ŝi alvokas al prudenta organiza laboro kaj al frata amo inter la diversaj klasoj. Simila al patrino ĉe l'lito de malsana amata infano ŝi revas pri ilia resanigo kaj refortigo, necesaj por vivi kaj plenumi la reciprokajn devojn. Neniam forlasante sian celon kaj ne volante esti revoluciistino sed nur reformistino, ŝi instigas al reciproka amo kaj progreso, kiu alproksimigos la feliĉon de la homa societo. La pola nacio, kiu ŝatas ŝin ne nur kiel verkistinon, sed ankaŭ kiel edukistinon de generacioj, honorigis ŝin en 1907 per solenaj jubileaj festoj aranĝitaj en ĉiuj urboj, kaj per fondado de instituto pedagogia de ŝia nomo en Varsovio. El ŝiaj ĉirkaŭ 60 kreaĵoj estas esperantigitaj: „La interrompita kanto", „Legendo", „Marta" kaj tiu-ĉi noveleto.

작가 소개

폴란드 작가 오제슈코바Eliza Orzeszko (Orzeszkowa)는 1842년 (오늘날 리투아니아) 그로드노(Grodno) 민토브슈치즈나(Mintovŝĉizna)에서 태어났습니다. 작가는 의심할 여지 없이 가장 뛰어난 폴란드 산문 작가입니다. 작가의 작품에는 인간 사회의 모든 구성원, 특히 노동자와 고통받는 사람들에 대한 이타심과 사랑의 감정이 흐르고 있습니다. 자신의 조국 동포와의 관계에 있어 특징적인 것은 깊은 여성성과 모성애입니다. 40년 이상 작가는 자신의 작품들을 통해 동포를 양육하고, 교육했으며, 작가는 항상 선함과 고귀함의 가장 순수한 근원에서 나온 아이디어를 끊임없이 제공했습니다. 경박함, 귀족적 가식, 이기주의, 위선에 맞서 싸우면서, 작가는 합리적 조직 활동과 계층 간 형제애에 호소합니다.

사랑하는 아픈 아이의 머리맡에 있는 어머니처럼, 작가는 동포의 상호 의무를 이행하고 생활하는 데 필요한 치유와 재부흥을 꿈꿉니다. 작가는 자신의 목표를 결코 포기하지 않으면서도 혁명가가 아니라 오직 개혁가가 되기를 원하며, 인간 사회를 더욱 행복하게 하는 상호 사랑과 발전을 고대합니다.

작가로서뿐만 아니라 여러 세대의 교육자로서 작가를 좋아하는 폴란드는 1907년 도시마다 장엄한 기념행사를 조직하고, 바르샤바에 작가 이름을 딴 교육 기관을 설립해 작가를 기렸습니다.

작가의 약 60개 작품 중 에스페란토로 번역된 작품은 지난 세기에는 『마르타 Marta』, 『중단된 멜로디 La Interrompita Kanto』, 『선한 부인 Bona Sinjorino』, 『전설 Legendo』과 이 작품 『A···B···C···』입니다. 최근 2023년에는 작가의, 19세기 폴란드 Grodno 도시를 중심으로 당시 사회를 그린 실증주의 장편소설 『네만강 가에서 Ĉe Nemano』도 Tomasz Chmielik에 의해 에스페란토 번역판이 폴란드에서 출간되었다고 합니다.

A···B···C

En unu el pli grandaj urboj de granda imperio Johanino Lipska ĉiu-tage iradis preter granda konstruaĵo, kies fronton oni ĵus estis plilarĝiganta kaj ornamanta, sed sur kiu ŝi tamen neniam turnis sian atenton.

Granda estis la imperio kaj granda estis ankaŭ la konstruita juĝejo; kion ŝi povis havi komunan kun tiuj potencaj grandaĵoj? Ŝi sciis, ke interne en tiuj ĉi vastaj muroj tranĉitaj per vicoj de helaj fenestroj decidiĝadas la sortoj de tiuj, kiuj procesas pro havaĵo aŭ kiuj faris ian kulpon aŭ krimon. Procesi pro havaĵo ŝi ne povis estante malriĉulino, kaj se iam venus al ŝi la penso, ke oni povus kulpigi ŝin pro krimo, ŝi rekte ekridegus.

Sed tia penso neniam aperis en ŝia animo kaj ŝi neniam turnis sian pli specialan atenton sur la juĝeja konstruaĵo. Ŝi estis tiel malgranda kun sia modesta nomo, kun sia malriĉeco, kun sia virga talio!

Ŝi portis ĉiam nigran lanan veston kaj nigran ĉapelon, nek ornaman nek modernan, sed el sub kiu vidiĝis densaĵo de belegaj haroj preskaŭ tiel lumaj kiel lino, glataj kaj brilaj super la frunto, plektitaj en peza harligo malantaŭe de l' kapo.

아보쪼

대 제국의[1] 어느 대도시에 요하니노 립스카 Johanino Lipska 아가씨가 매일 큰 건물 옆을 지나갔다. 이 건물은 전면이 넓고 장식이 되어 있어도, 평소 이 건물에는 이 아가씨는 관심을 크게 가지고 있지 않았다.

크나큰 것이 대제국이다. 또 큰 것은 이 법원 건물이다. 그녀는 이 강력한 두 존재에서 뭔가 공통점을 발견할 수 있었을까? 그녀는 밝은 창문이 줄지어 자리한 대형 벽으로 둘러싼 이 건물 안에서 재산을 두고 다투는 사람들과 범죄인들 운명이 수시로 결정된다는 것을 안다. 그녀가 가난한 여성이라 재산 분쟁을 벌일 일이 없었지만, 혹시 누군가 그녀를 범죄 혐의로 고소하면 여기 올 수도 있겠구나 하는 생각이 들면 그녀는 곧장 웃음을 크게 터뜨렸다.

그러나 그런 생각은 평소에는 그녀 마음에 전혀 생기지 않았다. 그녀는 그 법원 건물에 특별한 관심을 두지 않았다. 그녀는 평범한 이름으로 극히 가난하게 살고 있다. 그녀는 키가 아주 작은 아가씨다! 검정 모자에 검은 모직 드레스가 그녀의 평소 복장이다.

---

1) *역주: 폴란드어 원문에는 '독일 대제국'이라고 되어 있으나, 작가는 '제정 러시아'를 염두에 두고 이 작품을 쓴 것임.

Vizaĝkoloron ŝi havis paletan kaj ofte lacan, la buŝon rozan kaj la okulojn grizajn, kiuj pro sia kristala travidebleco similis al okuloj de infano. Juna ŝi estis kaj sendube beleta, sed ĉiu konanto de homoj tuj estus diveninta, ke ŝi estis unu el la knabinoj tiel multenombraj en ĉiu urbo, kiuj neniam amuziĝas, neniam sin ornamas, malmulte manĝadas, respiras aeron de malvastaj stratoj kaj malampleksaj ĉambretoj.

Tia vivmaniero malakcelas disvolviĝon de la ĉarmo kaj samtempe kaŝas ĝin antaŭ la homoj.

Ne flegata ĝi floras pale kaj velkas nerimarkita kiel floroj kreskantaj en ombro; superas ĝin ofte ia ajn herbaĉo oportune kaj lukse kreskanta en la lumo de l' suno. Knabino kun linaj haroj kaj delikata virga vizaĝo povus esti tre bela, se ŝi havus pli freŝan haŭton, pli liberajn movojn, pli bonajn vestaĵojn, se ŝi fine volus kaj scius kapti la okulojn de homoj, kuraĝe, flirteme.[2] Sed estis evidente, ke ŝi ne volis fari ĝin kaj ne povis fari ĝin.[3] Pala kaj velketinta, intermiksita kun la strata homamaso en sia eterna nigra vesto, Johanino ĉiam iradis rapidante tra la urbaj stratoj, la brusto iom antaŭen, la frunto iom malsupren klinitaj,

---

2) *역주: 이 문장은 에스페란토 번역문에는 빠져 있어, 폴란드어 원문을 참고하여 삽입함.
3) *역주: 이 문장은 에스페란토 번역문에는 빠져 있어, 폴란드어 원문을 참고하여 삽입함.

장식용도 유행도 아닌 검정 모자이지만, 그 모자 아래로 리넨처럼 가볍고, 이마 위로 매끄럽고 윤기 나는, 굵게 간단히 땋아 올린 아름다운 머리카락이 보였다.

　그녀 안색은 창백하고 종종 피곤하다.

장미색 입술과 커다란 회색 눈은, 때로 수정처럼 투명하여, 아이 눈과 닮았다.

그녀는 젊고 또 의심할 여지 없이 예뻤다.

하지만, 분별력이 있는 사람이라면, 그녀가 그토록 많은 수효의, 같은 또래의 도시 아가씨들 ―자신을 위한 즐거움이나 외모엔 아직 관심이 없고, 적게 먹으면서, 좁은 거리와 좁은 방에 숨 쉬며 살아가는 ― 중 한 명이라는 것을 즉시 짐작할 수 있다.

　적게 먹고 좁은 방에서 살아가는 사람은 자신의 매력을 제대로 키우지 못하고, 동시에 사람들 앞에서 자신의 매력을 내세우는 것도 꺼린다.

　이러한 생활은, 그늘에 자라는 꽃처럼, 돌보지 않아 시들한 채 피어, 눈에 잘 띄지 않는다.

　햇빛을 받으면서 풍성하게 자라는 어떤 잡초라도 이런 꽃을 종종 능가한다.

　아마 색깔 있는 머리카락과 섬세한 얼굴의 이 아가씨가 더 산뜻한 피부에, 또 더 자유분방한 행동거지에, 더 좋은 옷을 입고서, 나아가 타인의 눈길을 대담하고 경쾌하게 사로잡는 방법에 궁금해하면, 매우 예쁘게 보일 것이다.

　그러나 그녀는 그리하고 싶지도 않고, 할 수도 없음은 분명하다.

　창백하고 깡마르고 늘 검정 드레스를 입은 채로, 거리의 시민과 뒤섞여 아가씨 요하니노는 시내 거리를 서둘러 걷는다.

　가슴은 약간 앞으로 내밀고, 이마는 약간 아래로 숙인 채,

kaj ŝiaj etaj kaj bonformaj piedoj en dik-ledaj ŝuoj rapide, rapide marŝadis sur la malegalaj ŝtonoj de l' trotuaro. Nun ŝi devis ĉiutage desaltadi de l' trotuaro kaj ĉirkaŭpaŝadi la masonistan trabaĵon konstruitan apud la muro de la juĝeja domego.

Unu fojon nur ŝi levis la kapon, rigardis la masonistojn laborantajn en la supro de l' trabaĵo kaj kuris sian vojon. Inter ŝi kaj tiu-ĉi konstruaĵo granda kaj plena de malĝojaj sonoj de malpacemo kaj krimoj kio komuna povis esti? Neniu estis turninta sian atenton sur tio, sed estis certe, ke antaŭ nelonge la esprimo de ŝia vizaĝo estadis malĝoja kaj plenzorga, kaj la nigra vesto estis ĉirkaŭita per blanka strio.

Ŝi funebris sian patron kaj konstante pensadis pri tio, ke ŝi devis trovi por si ian perlaboron por ne tropezigi la malfacilan vivon de sia frato. Tio estis penso triviala kaj proza, tamen desegnanta ofte profundan sulkon sur ŝia juna frunto.

Tiam ŝi suferis kaj multe pensis ne nur pri si mem, sed iafoje pri la tuta mondo kaj ĝiaj diversaj aranĝoj.

Ofte ŝi havis la mienon kvazaŭ ŝi hontis pro io ajn kaj tiam ŝiaj okuloj ŝajnis humile paroli al la homoj: Pardonu al mi, ke mi ekzistas! Ŝi marŝadis en la mondo kun senĉesa penso:

— Kion mi povos utili al iu ajn aŭ al io ajn? Ofte ŝi estadis malsata kaj havis disŝiritajn ŝuojn,

작고 예쁜 발에 두툼한 가죽신을 신고 빠르게, 빠르게 보도의 울퉁불퉁한 돌 위를 걷는다. 그녀는 늘 바삐 가던 보도에서 걷다가, 이제 법원 건물 옆에 새로 인부들이 공사 중인 난간 옆을 지나가야 했다.

딱 한 번 요하니노는 고개를 들어 그 난간에서 일하는 인부들을 바라보고는, 자신의 갈 길을 서둘러 갔다. 불화와 범죄의 우울한 큰 소리로 가득한 이 건물과 그녀 사이에 공통점이 무엇일까?

누구도, 누구도 그 점에 관심을 두지 않는다. 하지만, 얼마 전까지만 해도 그녀는 슬픔에 싸여 걱정이 가득하다. 가족을 잃었다는 하얀 표식의 리본이 검정 드레스에 분명히 보였다. 그녀는 별세한 아버지를 애도하는 중이다.

또 그녀는 오빠의 힘든 삶에 너무 큰 부담을 주지 않으려고 스스로 할 일을 찾아야 한다는 사실을 끊임없이 생각했다. 그것은 사소하고 평범한 생각이지만, 종종 어린 그녀 이마에 깊은 주름을 만들었다. 그때 그녀는 자신뿐만 아니라, 때로는, 온 세상과 다양하게 살아가는 사람들 모습을 보며 많이 괴로워했다.

그녀는 종종 무언가에 부끄러워하는 듯한 표정을 지었다. 그녀 눈은 사람들에게 겸손하게 말하는 것 같다.

"제가 존재하는 걸 용서해주세요!"

그녀는 시내를 돌아다니며 끊임없는 생각 속에 걸었다:

"제가 누군가에게 도움이 될 수 있을까요?"

종종 그녀는 배가 고프다. 그녀 구두도 찢어진 채 있다.

kaj pensante pri peco da pano aŭ bulko aŭ pri malŝiritaj ŝuoj ŝi samtempe pensis:

— La mizera Mieĉjo jam ne ĉiam havas pecon da viando kaj liaj ĉemizoj jam disŝiriĝas··· kaj mi sidas sur lia nuko···

Ŝi havis konatinojn kaj samaĝulinojn, kiuj estante en tia sama pozicio kiel ŝi, vivis tute trankvile kaj ia tempe eĉ ĝoje. Lerte kaj avide ili kaptadis la etajn agrablaĵojn de l' vivo, sin nutradis per ili, atendis pli bonan estontecon, ne ĉirkaŭrigardadis en la mondo, ne enviis aliajn kaj sentis sin sufiĉe feliĉaj. Ŝi ne povis tiel. Kial? Eble la naturo kreis ŝin iom alie, eble la naturon helpis interparoloj aŭditaj, libroj legitaj, la vido de tiuj kaj aliaj najbaraj estaĵoj, iom da scienco traverŝita en ŝian kapon el la buŝo de ŝia patro, kiu nelonge antaŭ sia foriĝo el tiu-ĉi mondo estis forigita el la ofico de la loka knaba lernejo. Se li estus havinta pli longtempe tiun-ĉi oficon···

A! Tute alia estus la sorto de liaj du infanoj. Sed li ne povis ĝin havi pli longe. Kial? La estonteco miriĝos pri tio: li estis Polo. En la forteco de sia aĝo li sciiĝis, ke li ne havas la rajton labori tiel kiel li volis kaj sciis, nek ĝui la fruktojn de sia laboro.

Sur la urba tombejo jam ne malfermiĝos la tombo kaj ne elrigardos el ĝi la antaŭtempe griziĝita kapo de la pedagogo kun okuloj ruĝigitaj de la laboro kaj kun granda nubo de sulkoj,

또 빵 한 조각, 롤빵 덩어리, 또 온전한 구두 생각도 났다:

"불쌍한 오라버니 미에치슬라오 립스키 Mieĉislao Lipski는 먹을 육고기 한 점 없고, 셔츠는 이미 낡아 있고… 그리고 내가 오라버니만 의지하니…."

그녀는, 자신과 같은 처지라도 온전히 평온하게, 때로는 기쁘게 살아가는 지인들이나 같은 나이 또래 아가씨들을 알고 있다. 능숙하게도 또 탐욕스럽게 잘도 그들은 자신의 삶에서 작은 즐길 일거리들을 포착하니, 그 일로 자양분을 공급받고, 더 나은 미래를 기다리며 세상을 둘러보지 않아도 되니, 다른 사람을 부러워하지 않아도 되니, 충분히 스스로 행복하다고 느끼고 있다. 하지만 요하니노는 그렇게 할 수 없다.

왜일까?

아마 자연은 그녀를 조금 다르게 창조했나 보다. 그런 자연의 그녀를 도운 것은 사람들이 하는 대화, 읽은 책, 만나는 이런저런 이웃 사람들, 또 그녀 아버지 입을 통해 그녀 머리로 쏟아부은 약간의 지식이 전부다.

아버지는 이 지방의 남학교에 근무하였으나, 별세 직전에 교사직에서 해직되었다. 만약 아버지가 그 자리에 오래 계셨더라면… 아! 그 아버지에 남겨진 그 두 자녀 운명은 완전히 달라졌을 터인데. 그러나 그 아버지는 그 직책에 오래 있을 수 없었다. 왜인가? 그가 폴란드 사람이기 때문이다. 세월이 지나면, 그 점에, 사람들은 놀라게 될 것이다. 충분히 일할 수 있는 나이임에도 그 자신은 원하고 아는 바대로 일할 권리가, 자신의 노동 결실을 누릴 권리가 이젠 없음을 알게 되었다.

도시 묘지에서 교사였던 부친 무덤이 다시 개장될 리 만무하다.

kiun sur lian frunton metis ne jaroj sed unu
momento, tiu, kiam en la lernejo oni diris al li: „Iru
for de tie-ĉi! ĉar vi naskiĝis tie-ĉi, vian lokon
ricevos tiu, kiu tiun-ĉi teron kaj ĝiajn infanojn ĝis
nun nek konis nek vidis". La pedagogo, rompita per
la malfeliĉo obeis, iris for, for el la mondo. Tuj kiam
li foriris, antaŭ lia filino aperis demandosignoj: Kion mi
faru?[4] Sufiĉe longe diversaj pensoj kaj intencoj
turmentadis la kapon de Johanino, ĝis kiam unu
tagon ŝi enkuris sian malgrandan kuirejon videble
kortuŝita. En la manoj ŝi tenis korbon kun tolaĵo,
kiun ŝi estis portinta por kalandri. Kvankam ĝi estis
sufiĉe peza, ŝi rapide suprenkuris la mallarĝan
krutan ŝtuparon kaj facile ĝin metis sur la tablon.
Maldika, pala, ŝi tamen havis forton de homoj
nervaj kaj agemaj. Metinte la korbon sur la tablo ŝi
restis senmova kaj enpensiĝita. Ŝi staris sur la
planko el dikaj lignotabuloj kun superstarantaj nigraj
najlokapoj; super ŝi pendis plafono malalta, malbela
pro polvo kaj fumo. Apud la kvar muroj kovritaj per
malnova tapetaĉo staris paro da tabloj kaj benkoj,
ŝranko kun kuireja vazaro kaj lito kun malriĉa
kovrilo. Tie-ĉi ŝi dormadis; la apuda ĉambreto estis
la dormejo kaj laborejo de ŝia frato, kaj tio-ĉi estis
jam ilia tuta loĝejo, kiu sin trovis en la supra etaĝo
de l' domo, kies aspekto estis tia, kvazaŭ ĝian
modelon elpensis kvinjara arĥitekturisto kun helpo
de sep kartoj

---

4) *역주: 이 문장은 폴란드어 원문에서 찾아 끼움.

그런데 교육 노동으로 인해 그 교사 눈이 붉어짐과 이마에 큰 주름 생김은 수년에 걸쳐 생긴 게 아니다.

"이 자리에서 당신은 해고요! 이 자리에는, 이 고장 출신인 당신을 대신해, 이 고장과 전혀 연고가 없는, 또 이 지방 아이들도 전혀 알지도, 보지도 못한 다른 교사가 올 거요!" 라는 명령을 듣는 순간에. 교사인 아버지 눈이 붉어지고 이마에 큰 주름이 생겨버렸다. 그랬던 아버지가, 그 무덤 안에서 그 무덤이 개장되어, 그 아버지의 회색 머리카락을 다시 볼 리도 만무하다.

졸지에 그 불행을 당한 아버지는 교육 당국의 명령에 따라, 학교를 떠나자 곧, 이 세상과도 작별했다. 그 아버지가 세상을 떠나자마자 딸 앞에 물음표가 나타났다: -어떻게 해야 하나?[5]

꽤 오랫동안 이런 생각에 골몰하고, 저런 시도도 하며, 요하니노는 자신의 머리를 싸맸다.

어느 날 그녀는 눈에 띄게 감동적으로, 자신의 집 작은 부엌으로 달려왔다. 그녀 손에는 다림질할 옷을 담은 바구니가 들려 있다. 꽤 무거웠지만, 그녀는 좁고 가파른 계단을 재빨리 뛰어올라, 그 바구니를 가뿐히 테이블 위에 올려놓았다.

가냘프고 창백하기는 해도 그녀는, 하지만, 긴장하고 활동적인 힘을 가졌다. 바구니를 식탁 위에 놓은 후에도 그녀는 움직이지 않고 깊은 생각에 잠겨 있다.

그녀는 검정 못 머리 하나가 튀어나온 두꺼운 널빤지 바닥에 서 있다. 그녀 저위로는 먼지와 연기로 그을린 낮은 천장이 있다. 거칠고 낡은 벽지의 4면 벽 옆에 식탁 2개, 벤치 2개, 주방도구가 놓인 찬장, 허름한 이불이 깔린 침대가 놓여 있다.

여기서 평소 그녀는 잠을 잔다. 옆의 작은 방은 그녀 오빠의 침실이자 작업장이다. 이곳이 이 건물 중 위층인 그들 거주지다. 그 건물은 마치 다섯 살짜리 아이가 고안해 낸 카드 7장으로

---

5) *역주: 이 문장은 폴란드어 원문에서 찾아 끼움.

konstruante du triangulojn malsupre kaj unu supre.

Tiaj supraj trianguloj de urbaj dometoj enhavas la plej malkarajn loĝejojn; tial la gefratoj Lipski luis ĝin post la morto de la patro. Malsupre estis drinkejo kun butiko fronte sur la straton; la korto svarmis de loĝantoj de diversa sekso kaj aĝo.

Radio de subiranta suno penetranta tra la fenestreto superverŝadis per oro la kapon de la junulino kaj sur ŝia vesto malkompate malkovradis zorgeme rebonigitajn disŝirajojn. Ŝiaj kunplektitaj manoj pendis malsupre, ŝiaj palpebroj estis mallevitaj kaj ŝian buŝon ornamis revanta rideto. Pri kio ŝi revis tiel ĉarme? Ĉu temas pri danca vespero? pri nova robo kun gaja, hela koloro? Eble tenera vorto aŭ fajra rigardo de amanto? Ŝi ekvekiĝis el la enpensiĝo, levis sian vizaĝon kaj laŭte ekmanplaŭdis.

Estis gesto de ĝojo. Kaj kun infana ĝojo ŝi eksaltis kaj malfermis la pordon de la apuda ĉarmbro.

Ĉi-tie ŝi tamen metis la fingron al sia buŝo kaj admonis sin mem:

— Ct, malbrue!

Poste ŝi mallaŭtege ree demandis sin mem:

- Ĉu li dormas, ĉu ne dormas?

En la ĉambro provizita je sufiĉe multnombraj, sed malmodernaj kaj malriĉaj mebloj, sur malmola kanapo kuŝis juna viro de meza kresko, frapante malgrasa, kun vizaĝo longeta, beleta, kies paleco tamen preskaŭ papera,

아래층에 삼각형 2개를 그려놓고, 위층에 삼각형 1개를 연결해놓은 건축모형 같다.

시내 가옥 중에 그러한 상부 삼각형에 해당하는 부분이 가장 저렴한 주거지라 할 수 있다.

따라서 립스키 Lipski 남매는, 아버지 별세 후, 이 주거공간으로 임차해 들어왔다.

아래층은 거리와 직면한 술집이다.

마당은 다양한 성별과 다양한 나이의 주민들로 북적거렸다. 작은 창문을 통해 들어오는 석양의 햇빛은 젊은 여성의 머리에 금빛을 투사했고, 그녀 드레스 위로 정성으로 꿰맨 헝겊 조각들을 무자비하게 드러내 보였다.

그녀의 꽉 쥔 두 손은 아래로 내려져 있다. 눈꺼풀도 내려져 있으며, 입가는 꿈꾸는 듯한 미소로 장식되어 있다.

요하니노가 기뻐할 정도로 무슨 꿈에 부풀어 있는 걸까? 춤추는 저녁을 생각하는 걸까? 유쾌하고 밝은 색상의 드레스를 생각하는 걸까? 아니면 연인이 던지는 부드러운 대화나, 불타는 눈길을 생각하는 걸까?

그녀는 깊은 생각에서 깨어나, 얼굴을 들고 손뼉을 크게 쳤다. 그것은 기쁨의 몸짓이다. 그러고는 그녀는 어린아이 같은 기쁨으로 벌떡 일어나, 옆방 출입문을 열었다. 그러나 여기서 그녀는 손가락을 자신의 입가에 대고 스스로 말했다.

"에이, 요란함이란 전혀 없네!"

그런 다음 그녀는 낮은 목소리로 계속 스스로 물었다.

"자는 거야, 안 자는 거야?"

충분히 많은 수효의 아주 구식의 열악한 가구가 비치된 방안의 딱딱한 소파에 중간 정도의 키에, 눈에 띄게 마른 체형에, 길고 아름다운 얼굴의 한 청년이 누워 있다. 그의 창백한 피부는 거의 종이 색이다.

donis al li ŝajnevidon de malsano, tiom pli malagrablan, ke ĝi kontrastis kun la nigraj lipharoj kaj la malhelaj okulvitroj kovrantaj liajn okulojn. Iam Mieĉislao Lipski estis infano sana, kvankam ĉiam malvigleta kaj iomete nekuraĝa, sed tio-ĉi ne longe daŭris.

Li estis deksesjarulo kaj finis kvin klasojn de gimnazio kiam lia vizaĝkoloro komencis fariĝi tiel malagrable papere pala, liaj manoj malgrasiĝis, liaj movoj malrapidiĝadis; la suferantajn okulojn laŭ konsilo de kuracisto oni kovris per malhelaj okulvitroj; de tiam li ilin jam neniam demetis. La lernejon li forlasis, por ia metio li estis tro malforta, li komencis labori en unu el la registaraj oficejoj. Lia kariero estis rompita por ĉiam. Kial?'

Neniu povis precize tion-ĉi klarigi.

Simple li submetiĝis al la premo de io nevidebla, sed tamen ekzistanta— kie? en la lernejo? en la domo malĝojigita per la dimisio de la patro? Ĉu en la vivmaniero de la malriĉa familio? Ĉu en la morala atmosfero, kiun spiris tiu-ĉi urbo? Oni povus esplori, sed malfacile estas esploradi.

Estadas tempoj tiel kruelaj, ke per sia spiro ili mortigas eĉ infanojn.

-Ĉu vi dormas Mieĉjo? Mieĉjo, ĉu vi dormas?

Li jam ne dormis, li ekatendis la mallaŭtan demandon de la fratino, kaj ankoraŭ ne sufiĉe dorminte post laciga laboro

분명 병자 모습이다.

더욱 안타깝게도, 대비가 되는 것은 짧고 검은 콧수염과 그의 눈을 가리는 검정 안경이다.

소년 때, 미에치슬라오 립스키는 늘 행동거지가 약간 느렸다.

또 수줍음도 약간 타는 성격이었으나 건강했다.

하지만 이 건강함도 이어지지는 못했다.

그는 16살이던 김나지움 5학년을 마쳤을 때, 안색이 불쾌할 정도로 창백해지고 손이 쇠약해지고 움직임도 느려지기 시작했다.

아픈 눈에는, 의사 선생님 진료에 따라, 어두운 안경을 쓰게 되었다.

그 이후로 그는 결코 그 안경을 벗지 못했다.

그는 학업을 마친 뒤, 수공업을 배우기에는 너무 약해, 관공서 중 한 곳인 토지국 사무소에서 일하기 시작했다.

하지만 그의 경력은 영원히 깨졌다.

왜일까? 아무도 이를 정확히 설명할 수 없다.

그는 보이지 않는 무언가의 압력에 굴복했으나, 여전히 그곳에서 살아가고 있다. 어디서인가? 학교인가?

아니면, 아버지 해직으로 낙심해 있는 집인가?

가난한 가족의 생활 방식인가?

이 도시의 도덕적 분위기인가? 조사해 볼 수는 있지만 조사하기는 어렵다.

사람들이 자신들의 숨소리 하나로 제 자녀조차 죽임에 빠뜨릴 정도로 잔혹한 시절이 이어져 왔으니.

"오빠, 자요?"

그는 아직 잠들지 않아, 누이가 하는 조용한 질문이 들렸다.

피곤한 하루 일을 마치고도 여전히 충분히 자지 못하는,

la malfeliĉa skribisto de la fiska kamero, dormeme streĉante la membrojn sur la kanapo, elĵetis el sia gorĝo reciprokan, malsaĝe sonantan demandon:

— Ha?

Poste, iom sin levinte, ambaŭ brakojn en tuta ilia longeco li streĉis alten kaj laŭte oscedante larĝe malfermadis la buŝon, ĝis kiam fermis ĝin kvazaŭ hajlo de kiso.— Ridante laŭte kaj kisante la buŝon, la vangojn kaj la frunton de la frato,

Johanino kriis:

— Mi jam havas, Mieĉjo! mi jam havas, kion mi volis! mi trovis!

Apatie, sed dolĉege li liberiĝis de ŝia ĉirkaŭpreno kaj per iome naza voĉo demandis:

-Nu kio do? Kion vi trovis, ĉu monon?

Serioz-iĝante rapide ŝi respondis:

-Okupon.

La skribisto tute rektiĝis, demetis la okulvitrojn, viŝis ilin per tuko, ree ilin metis kaj el post la malhelaj vitroj rigardante la fratinon per siaj ruĝigitaj palpebrumantaj okuloj demandis:

— Kian? Kaj ĉu ĝi donosmonon?

Johanino staris kelkajn paŝojn antaŭ li kaj rakontadis al li la unuan fojon ĉiajn siajn zorgojn kaj ĉagrenojn, per kiuj ŝi ĝis nun ne volis vane lin malĝojigi. Antaŭnelonge ŝi jam deĉidiĝis veturi ien ajn por serĉi laboron kiel instruistino, infanistino aŭ administrantino de vilaĝa dommastrajo,

토지국에서 일하는 서기는 골방에서 졸린 듯 소파에 팔다리를 긴장시켰다.

그러고 그 서기는 자신의 목구멍에서 이 질문에 상응하는, 어리석게도, 질문을 던졌다.

"무슨 일?"

그러고는 그가 몸을 조금 일으키고, 두 팔을 최대한 길게 뻗어 큰 하품을 하며 입을 크게 벌린 순간, 누이가 우박처럼 키스로 그 입을 다물게 하였다.

그러고는 누이는 크게 웃으면서, 오빠 입과 뺨과 이마에 키스하고는 소리쳤다.

"난 이미 가졌어, 오빠! 내가 원하는 것을 이미 가지고 있어! 내가 찾아냈지!"

무관심하지만, 달콤하게도 그는, 누이 포옹에서 벗어났다.

그러고는 그는 약한 콧소리로 물었다.

"그래서 뭐? 뭘 찾았어, 돈을?"

그녀는 재빠르게 또 진지하게 대답했다.

"일거리를."

서기는 자신의 몸을 완전히 펴고, 안경을 벗어 천으로 닦았다. 그러고는 다시 이를 착용하였다.

그는 어두운 안경 뒤에서 붉게 깜박이는 눈으로 누이를 바라보며 물었다.

"무슨 일거리인데? 그런데 돈은 나와?"

요하니노는 오빠 앞에 몇 걸음 물러났다. 그러고는 그녀는 선채로, 처음으로 오빠에게 자신의 모든 걱정과 슬픔을 토로했다.

하지만 그걸로 오빠를 헛되이 슬프게 만들고 싶지 않았다.

얼마 전 그녀는 마을의 가정 교사이든 보모 또는 가사원이든

ien ajn kaj kiel io ajn por jam fari ionajn, ion komenci⋯ sed ŝi ŝancelis. — Ŝi mem ne sciis, por kio ŝi povos taŭgi.

Tio, kion ŝi scias, ŝi bone scias, la patro ja mem ŝin instruadis⋯ sed ne multe⋯ Plue estus por ŝi bedaŭrinde forlasi la fraton! Ili ja estas nur du en la mondo, kaj li ofte estadas malsana kaj bezonas ŝian zorgadon⋯

En ŝiaj grizaj okuloj montriĝis larmoj sed tuj malaperiĝis. Hodiaŭ granda feliĉo okazis. Rojnovska, posedantino de kalandro, virino ne malriĉa kaj scianta ŝian pozicion, demandis ŝin, ĉu ŝi ne volus instruadi ŝiajn nepinojn, du malgrandajn knabinojn ne bezonantajn ankoraŭ tre instruitan edukistinon. Nature ŝi akceptis tiun-ĉi proponon kun danko.

La knabinoj venados al ŝi preni lecionojn, ĉar tie pro la bruo de l' kalandro neeble estas lerni. Sed tio estas nur komenco.

Rojnovska promesis rekomendi ŝin al sia konatino, kiu en tiu sama strato posedas du domojn kaj havas knabon, kiun ŝi volas prepari por la lernejo. Tiu-ĉi knabo estas amiko de la nepinoj de Rojnovska kaj kune kun ili li venados al la lecionoj. Sed ankaŭ tio estas nur komenco. Nur komenci! Tiu granda Konstanĉjo ekzemple, filo de tiu seruristo, kiu eterne drinkadas, kaj kies patrino mortigadas sin per lavado de tolaĵo, jam estas dekdujara kaj ankoraŭ ne scias legi

뭐든 일자리를 찾기 위해 여러 곳을 가 볼 결정을 했다.

뭔가를 하려고, 뭔가를 시작하려고…

하지만 그녀는 고개를 내저었다.

그녀 자신은 무슨 일이 자신에게 적합한지 몰랐다.

요하니노가 알고 있는 지식은, 잘 아는 지식은 아버지가 직접 가르쳐 준 것뿐이다…

하지만 그다지 많지 않다…

그녀가 저 오빠를 놔두고 떠나면 안타까운 일이 된다!

세상에 그 오누이 둘뿐인데, 오빠는 자주 아프니 누이 보살핌이 또한 필요하다…

그녀의 회색 눈에 눈물이 잠깐 흘렀으나, 즉시 사라졌다.

그런데 오늘 그녀에게 큰 행복이 생겼다. 부자이면서 자신의 위치도 잘 아는, 유럽 종달새[6]를 키우는 로즈노브스카Rojnovska가 아직 필요하진 않아도, 아직 아주 잘 교육받은 여성가정교사가 필요하진 않아도, 자신의 손녀들을 가르쳐 줄 수 있는지 요하니노에게 물었다.

당연히 그녀는 감사한 마음으로 이 제안을 받아들였다.

소녀들이 배우러 요하니노 집에 찾아올 것이다.

왜냐하면, 그곳, 유럽 종달새 울음소리가 나는 집에서는, 거기서는 배울 수 없다.

하지만 그것은 시작에 불과했다.

로즈노브스카가 그녀에게 같은 거리에서 집을 2채 가진, 학업 준비하고 싶은 아들을 둔 지인을 추천하겠다고 약속했다.

그 집 아들이 로즈노브스카 손녀 친구란다.

그들과 함께 수업에 올 것이다.

---

6) *역주: 종달새(Melanocorypha calandra) 또는 유럽 종달새는 지중해 주변의 따뜻한 온대 국가와 동쪽으로 터키를 거쳐 이란 북부와 러시아 남부에 이르는 지역에서 번식한다. 더 동쪽에서는 친척인 두점 종달새로 대체된다.

kaj ofte kun la patro komencas enŝoviĝi en la drinkejon. La patrino tordas la manojn pro tiu-ĉi knabo kaj se nur iu ajn volus instrui lin kaj dekonduki lin de la malbono, ŝi kvankam malriĉa, rekompencus ĝin laŭ sia povo⋯

Estas ankoraŭ en perspektivo la knabino de tiu masonisto, kiu rebonigis al ili en

tiu-ĉi jaro la fornon, kaj iafoje venadis kune kun li, kaj la malgrandeta Manjo, la fileto de l' gardisto, por ŝi ankaŭ baldaŭ estos tempo lerni ion ajn. Tiujn-ĉi infanojn ŝi bone konas.

La grandan Konstaĉjon ŝi ne unufoje venigadis sian kuirejon kaj trempadis lian malordigitan hararon en akvon lavante tiun-ĉi knabon simple kiel oni lavas tolaĵon. Tiu ĉi ridinda Konstanĉjo tiel granda kun larĝaj brakoj kaj granda kapo

ĉiam marŝas ĝibita kaj paŝas tiel peze, ke tremas sub li la planko; sentaŭgulo li estas, stratvagulo, brandon li jam amas, tamen por ŝi li estas kvieta kiel ŝafido, permesas sin lavi, kombi. admoni⋯

Ŝi estas certa, ke tiun-ĉi knabon oni povos savi de la strato kaj drinkejo; kaj kio koncernas la malgrandetan Manjon, ili ambaŭ amegas unu la alian jam de longe⋯

— Cetere vi scias Mieĉjo, ke mi entute treege amas la infanojn. Mi ne scias kial, sed estas tiel⋯ Eble mi heredis tiun-ĉi econ de la patro⋯ Jen! mi pensis kaj elpensis. Rojnovska helpis al mi⋯

하지만 그것도 시작에 불과하다. 지금이 바로 시작일 뿐!

한 예로, 술에 찌든 자물쇠 제조공을 아버지로 둔, 또 삯빨래로 힘든 어머니를 둔, 큰 덩치의 콘스탄치오Konstanĉjo는 12살인데도 아직 글도 읽을 줄 모른다.

하지만, 그 콘스탄치오는 종종 아버지를 따라 몰래 술집에 드나든다. 엄마는 이 아들 걱정이 태산이다. 만일 누구든지 그 아이를 가르쳐주는 선생님이 있다면, 그 선생님이 저 악의 구렁텅이에서 그 아이를 벗어나게 할 수만 있다면, 어머니는 비록 가난해도 자기 능력껏 그 선생님께 보상하고 싶다…

벽돌장이가 콘스탄치오 소년의 집 벽난로를 수리할 때, 수리하던 그 벽돌장이 아빠와 함께 왔던 그 집 딸 아이도 올 예정이다. 그리고 이웃 경비원의 딸인 꼬맹이 마뇨Manjo도 곧 그녀에게 배우러 온단다. 그녀는 그 아이들을 잘 알고 있다.

그녀는 덩치 큰 콘스탄치오를 자신의 부엌으로 데려와, 그의 헝클어진 머리카락을 대야 물로, 리넨 빨래를 하듯이, 이 소년 머리를 씻어준 적이 한번이 아니다. 넓은 팔과 큰머리를 가진 이 우스꽝스러운 콘스탄치오는 너무 덩치가 커, 항상 몸을 구부린 채 걷고, 체중이 너무 많이 나가, 걸어가면 땅바닥이 흔들릴 정도이다. 그는 막무가내 소년이고 거리 방랑자이며, 이미 브랜디 같은 술도 좋아하지만, 그녀 앞에서는 새끼 양처럼 순하다. 그녀가 그를 씻겨주고 빗질해 주고, 훈계도 아끼지 않았다…

그녀는 이 소년이 술집에 더는 가지 않고 구원받을 것이라 확신한다. 그리고 꼬맹이 마뇨는 그녀를 매우 잘 따르고, 그녀는 이 마뇨를 늘 다정하게 챙겨 준다…

"더구나, 오빠, 내가 그 아이들을 엄청 사랑하거든. 왜인지 모르겠지만, 그렇게 되어 버렸네… 아마 내가 아버지 성품을 물려 받았을지도… 여기서! 나는 생각하고 또 생각했어. 로즈노브스카 부인이 나를 도와주셨거든…"

Sed tio estas nur komenco··· Grenero al grenero estos plena kulero, kaj poste, poste···

Ĉion tion-ĉi ŝi parolis kun kreskanta fervoro; en la mallumeta ĉambro kun fenestro nordena neniu sunradio falis sur ŝin kaj tamen ŝian frunton trakuradis videblaj briloj kaj per ruĝeteco de superverŝiĝanta vivo kolorigis ŝiajn vangojn. Mieĉislao sidis rigida, senmove rigardante ŝin el post la okulvitroj.

Senmovaj estis ankaŭ la trajtoj de lia mizera vizaĝo, estus malfacile diveni, ĉu tio, kion ŝi diris, faras sur li ian impreson, ĉu nenian. Li ne deturnadis siajn okulojn de ŝia vivigata vizaĝo, kaj la malgrasaj fingroj de siaj longaj manoj, kiujn li apogis sur la genuoj, ĉiam pli rapide tamburadis sur la elfrotita drapo de sia vesto. Kiam Johanino ĉesis paroli, li per sia malrapida naza voĉo ripetis:

— Poste — poste?!···

Kaj poste, kun stranga movo signifanta ĉu embaraso ĉu ŝerco, entirante la kolon en la amidonitan kolumon de la ĉemizo, ne sen ŝanceliĝo demandis:

— Nu?··· Kio?··· Tiel malproksimajn projektojn vi faras··· Kaj ĉu vi ne pensas edziniĝi?

Ŝi suprentiris la ŝultrojn.

— Mi dubas, ĉu tio povus iam ajn fariĝi. Vi scias, ke ni konas preskaŭ neniun, nenie ni estadas,···kiel do? Kiamaniere?

하지만 그것은 단지 시작일 뿐… 곡식 한 알에 또 다른 곡식 한 알이 더해지면, 그게 수북한 숟가락이 되고[7], 나중에, 나중에는…

이 모든 것을 그녀는 점점 열정적으로 말했다. 북향창문이 있는 어두운 방에 지금 햇빛 한 줄기도 그녀에게 내리지 않지만, 눈에 보이는 섬광이 그녀 이마를 가로질러, 흘러넘치는 생명의 연붉음으로 그녀 뺨을 물들였다. 오빠 미에치슬라오는 안경 너머에서 누이를 바라보며, 꼼짝 않고 뻣뻣하게 앉아 있다.

미동 없음도 오빠의 비참한 특징 중 하나였기에, 누이가 하는 말이 그에게 어떤 인상을 주었는지, 또 주지 않았는지 추측하기란 어렵다. 그는 누이의 생기 넘치는 얼굴에서 눈을 떼지 않았다. 다만, 자신의 무릎 위에 얹어놓은 긴 손의 가느다란 손가락은 낡아 닳은 바지 천을 더욱 빠르게 두들기고 있다. 요하니노가 말을 멈추자, 그가 느린 콧소리로 다시 말했다.

"그래서 그다음에는?!"

그러고 그는 뭔가 당혹감이나 뭔가 농담을 나타내는 이상한 동작으로, 풀 먹인 셔츠 칼라 안으로 목을 집어넣고는 주저함도 함께 하고선 물었다.

"그런데?… 뭐?… 이리도 멀리 있던 계획을 실천하다니… 그럼, 누이는 결혼 생각은 없어?"

그 말에 그녀는 자신의 어깨를 으쓱했다.

"그 일이 언제 이뤄질지도 의문이거든. 우린 아는 사람이 거의 없고, 또 어디에도 없다는 걸 오빠도 알지?… 그런데 어떻게? 어떤 식으로?"

---

7) *역주: 폴란드 속담(Ziarnko do ziarnka, a zbierze się miarka). '티끌 모아 태산'이라는 우리 속담과 비슷함.

Cetere, eble···sed mi ne povas kalkuli je tio.

Tenante ĉiam la kolon entiritan en la kolumo kaj levante iom la kapon la frato rigardadis ŝin kiel antaŭe, nur sur liaj mallarĝaj lipoj ombrigitaj per nigraj lipharoj trakuradis kvazaŭ ŝerca rideto.

— Nu··· komencis li — kaj tiu doktoro?

Tiufoje Johanino ekruĝiĝis kaj kun miro ekrigardis la fraton. Kiel! li divenis tion, pri kio ŝia buŝo nek al li nek al iuajn diris eĉ unu vorton! Li tiel apatia kaj dormema, tamen devis esti observinta ŝin atente, se li povis, ne sciate el kio, nur se el ŝiaj okuloj, el la ludo de ŝiaj trajtoj diveni··· Cetere ne estis pri kio paroli. Estis nek amaĵo nek io ajn simila.

Jen, iel, la koro ekbatis pli vive. Estante juna ĝi ja devis ekbati pli vive, sed cetere ĝi silentis, ĉar ĝi havis nenian esperon. La ruĝiĝo estingiĝis sur la vizaĝo de Johanino

kaj Ŝia buŝo kaj okuloj serioze graveciĝis. Post momenta siiento pli mallaŭte ol ĝis nun ŝi rediris:

— Mieĉjo mia! Vi bone scias, ke tio estus por mi revo tro alta··· Doktoro Adamo estis por ni tre bona dum la tempo de la tiel longa malsano de nia patr o··· kaj mi diras al Vi sincere, ke li ŝajnas esti idealo de homo. Sed precize tial, ke estas tiel, mi scias, ke li ne pensas pri mi kaj neniam pensos.

Ŝi klinis la kapon kaj finis mallaŭte:

— Nur··· nia urbo estas tiel malgranda··· tie-ĉi la homoj scias ĉion unu pri la alia

게다가 어쩌면… 난 그런 결혼 이야기는 상상이 안 돼.

습관적으로 늘 자신의 옷깃에 자신의 목을 집어넣은 오빠가 자신의 고개를 살짝 들어, 예전처럼, 누이를 바라보며, 검은 콧수염이 드리워진 좁은 입술에만 농담처럼 미소가 지나갔다.

"음…." 그가 말을 시작했다. "그럼 그 의사 선생님은?"

순간, 요하니노는 얼굴을 붉히며, 놀란 표정으로 오빠를 쳐다보았다. 어떻게 오빠가 그런 말을! 누이가 입 밖으로 오빠나 다른 누구에게도 그런 말을 한 적이 없는데, 오빠가 이를 알아차리다니! 너무 무관심하고 늘 잠이 고픈 오빠였어도, 누이를 조심스럽게 지켜봐 왔음에는 틀림이 없다. 만일 그가 가늠해 볼 수 있었다면, 아마 누이 눈에서, 또 누이의 평소 특징적인 행동거지에서가 아닐까… 더구나 누이가 말을 한 적도 없다… 로맨스도 없었고, 뭔가 비슷한 다른 것도 없었다.

이제, 요하니노 심장이 웬일인지 더욱 생생하게 뛰기 시작한다. 젊기에 더 힘차게 뛰어야 했지만, 그 심장은, 희망이 없어, 그동안 조용히 있었다. 요하니노 얼굴에 보였던 홍조가 사라졌다. 누이 입과 눈은 심각해졌다. 잠시 침묵이 흐른 후, 그녀는 이전보다 더 부드럽게 다시 말했다.

"그건! 그건 내겐 너무 큰 꿈이 될 거란 걸 오빠도 잘 알잖아… 아다모 박사, 그분은 아버지의 긴 투병 때 우리에게 엄청 잘해 주셨어… 솔직히 말하면, 그분은 남자의 모범인 것 같아. 바로 그렇기에, 다른 이유도 있어. 나는 그분이 나를 염두에 두지 않을 줄도 알아. 또 앞으로도 결코 그런 생각을 하지 않을 거야."

그녀는 고개를 숙이고 부드럽게 끝냈다.

"다만… 우리가 사는 시내는 너무 좁으니… 여기 사람들은 서로에 대해 모든 것을 잘 알고 있고

kaj iafoje devas renkontadi unu la alian, mi do volas, ke li sciu··· ke mi··· bone scias, ke inter ni neniam io estos, sed mi volas··· ke li sciu, ke mi meritas almenaŭ lian estimon···

Ŝi levis la vizaĝon kaj tra la vitro de l' fenestro rigardis supren, kvazaŭ en neatingebla malproksimeco ŝi vidus ian idealan ĉielarkon, kiu ekpendis super ĝia griza vivo. Mieĉislao elŝovis la kolon el la amidonita kolumo kaj mallevis la kapon.

Liaj fingroj daŭrigis tamburadi sur la ostaj genuoj, la buŝo iom malfermiĝis. Malfacile estus diri, ĉu li sentis sin malgaja, enuita aŭ ankoraŭ dormema.

Subite li demandis:

— Nu, kaj kiom oni pagos al vi?

Johaninon tiu-ĉi demando tuj ekvekis el ŝia enpensiĝo ĉu revo. Gaje ŝi respondis al la frato, ke ŝia perlaboro estos ne granda, tamen en ilia kuna vivo multe pezos.

Cetere tio estas nur komenco—grenero al grenero estos plena kulero.

Kaj poste, poste···

Mieĉislao leviĝis. Rigide li faris kelkajn paŝojn, fleksis la malgrasajn brakojn en la elfrotitaj manikoj ĉirkaŭ la talio de l' fratino kaj forte kelkajn fojojn kisis ŝian frunton.

Tiun-ĉi vesperon je la krepusko el malsupre, el sub la planko komencis penetri al ŝi senbridaj parolegoj, frapadoj, kriegoj.

때로는 서로 자주 만나는 때도 있어. 내가 바라는 것은, 그분이 알게 되길, 내가… 우리 사이에는 아무런 뭔가도 절대 없을 걸 잘 알기에… 내가 바라는 것은, 적어도 그분이 나를 존중할 만한 사람으로만 알아줬으면 한다는 거지."

그녀는 자신의 얼굴을 들어, 창유리를 통해 바깥을 올려다보았다. 마치 닿을 수 없는 저 먼 곳에서 회색빛 삶 위에 이상적인 무지개가 나타난 듯이.

미에치슬라오는 풀 먹인 셔츠 칼라에서 목을 내밀고는, 그 고개를 숙였다. 그의 손가락은 계속해 자신의 앙상한 두 무릎을 두드리며, 자신의 입을 조금 벌렸다. 그가 슬픔을 느끼고 있는지, 지루함을 느끼고 있는지, 아니면 여전히 졸고 있는지 말하기는 어렵다.

갑자기 그가 물었다.

"그럼 그 대가로 누이는 얼마를 받아?"

이 질문은, 그것이 꿈인지 아닌지 하는 사념에서 그 누이를 즉각 깨웠다.

유쾌하게도 그녀는 오빠에게, 자신의 수고가 크지는 않지만, 함께 생활하는 데 도움은 될 거라고 답했다.

게다가 그것은 단지 시작에 불과하다. 곡식 한 알에 곡식 한 알을 더하면, 나중에 한 숟가락이 된다. 그러고 나중엔, 나중에는…

미에치슬라오가 자리에서 일어났다.

오빠는 뻣뻣하게 몇 걸음 걸어가, 누이의 허리에 놓인, 해진 소매 안의 앙상한 두 팔을 집어 들며, 누이 이마에 세게 몇 번 키스했다.

이날 저녁 황혼 무렵, 저 아래, 바닥 아래에서 억제되지 않은 큰 목소리의 대화, 두드리는 소리, 또 비명을 지르는 소리가 그녀를 관통하기 시작했다.

Estis momento, kiam post la estingiĝo de l' taglumo vekiĝis kaj komencis sian vivon la drinkejo. Kvazaŭ la resonoj de tiu-ĉi nokta subtera vivo estus eklevintaj ŝin, ŝi ekstaris de l' benko kaj rapide malsuprenkuris en la korton. Ŝi kuris la loĝejon de l' seruristo drinkulo kaj de lia edzino, la lavistino.

Survoje ekkaptis ŝian veston knabineto malgranda, nudpieda, ruĝeta kaj kun movoj de anaso, kurante apud ŝi, kune kun ŝi malaperis post la pordo de la malluma vestiblo.

Post sufiĉe longa tempo, kiam ili ambaŭ eliris, post ili aperis la seruristo, homo kun larĝaj brakoj, vizaĝo ŝvelitapro drinkado, plenlarmaj okuloj kaj malordigita hartufo super la mallarĝa frunto. El lia vesto kaj el tuta lia eksteraĵo vidiĝis malordaj kutimoj, sed tiun-ĉi tagon li ne estis malsobra, sed nur ĝojigita kaj kortuŝita. Ĉe l' sojlo de sia loĝejo li kliniĝis kaj kaptinte la manon de Johanino li el tuta sia forto kisis ĝin. Samtempe la granda larĝabraka Kosĉjo, vestita en dika tolo, peze frapanta la pavimon per siaj nudaj piedoj portis kruĉon da akvo kaj suprenkuris la ŝtuparon kondukantan en la loĝejon de la gefratoj Lipski.

Jam antaŭ sufiĉe longa tempo li iafoje plenumadis por Johanino diversajn mastraĵajn servojn. Mirinde!

Tiu-ĉi dekdujara infano havis frunton jam sulkitan kaj rigardadis la homojn el sub la brovoj, iafoje ruzege kaj kolere.

날이 저무니 술집이 깨어나 자신의 하루 생명을 시작하는 순간이 되었다.

이날 밤, 지하 생활의 기운이 그녀를 깨운 듯, 그녀는 벤치에서 일어나 재빨리 안뜰로 내려갔다.

그녀는 술 취한 자물쇠 제조공과 그의 아내인 삯빨래 하는 여인이 사는 집으로 달려갔다.

도중에 맨발로 불그스름한 오리처럼 움직이는 한 꼬맹이 여자애가 그녀 옷을 붙잡았다.

그 꼬맹이는 그녀 옆에서 함께 달려가, 그 둘은 함께 어두운 현관문 뒤로 사라졌다.

꽤 시간이 흐른 뒤, 그 두 사람 모두 밖으로 나왔을 때, 자물쇠 제조공이 나타났다.

넓은 팔을 가진 그는 술에 취해 부은 얼굴이고, 눈물이 그렁그렁한 눈과 좁은 이마 위로 헝클어진 머리칼을 가진 남자다. 그의 옷차림과 외모 전체에서 습관적인 어수선함을 볼 수 있지만, 그날은, 그는 술을 마시지 않았다.

그는 지금 오로지 기쁨과 감동의 기분이다.

그는 자신의 집 문턱에서 몸을 굽혀, 요하니노 손을 잡고 온 힘으로 그녀 손에 키스했다.

그때, 두꺼운 캔버스 천의 옷을 입은 커다랗고 팔이 넓은 소년 코스타치오가 맨발로 길바닥을 세게 구르며, 물 한 주전자를 들고, 립스키 오누이 거주지로 이어지는 계단을 뛰어 성큼성큼 올라갔다.

이미 꽤 오래전부터 그 소년은 때로 요하니노의 다양한 집안일을 도와 왔다.

놀랍게도!

이 12살짜리 아이는 이미 이마에 주름이 생기고 눈썹 아래서, 한편으로 짓궂게 한편으로 화내며 사람들을 바라보아 왔다.

La patrino tro ŝarĝita de laboro kaj eterne ĉagreniĝanta, ofte lin insultis kaj eĉ batis; la patro, kiu lin amegis, alportadis al li el la drinkejo neplenbrulitajn cigarojn kaj krakenojn odorantajn je brando; por li fonto de amuzo, ĝuado kaj ekkono de l' vivo estis — la drinkejo. Tamen de antaŭnelonge tiu-ĉi maljuna infana koro eble la unuan fojon ekfloris per alia sento ol sento de maljustaĵo, timo kaj drinkejaj impresoj. Neniam en sia vivo li vidis tiel belegan fraŭlinon, kiel en siaj okuloj estis Johanino kaj aŭdis tiel dolĉan voĉon kaj tiel interesajn rakontetojn kiel tiaj, kiujn rakontadis ŝi, kiomfoje ŝi kuiradis la tagmanĝon aŭ rebonigadis la tolaĵon kaj li helpadis ŝin, kiel li povis, aŭ apud la muro de l' kuirejo li sidadis sur la tero ĉirkaŭprenante per la brakoj siajn genuojn kaj rigardadis ŝin jam ne el sub la brovoj kaj sovaĝe, sed maltimeme kaj kompreneme.

De kiam ŝi diris al li, ke li estu bona por la malgrandeta Manjo, ne batu ŝin, ne pinĉu kaj ne terurigu, oni ofte povis vidi ilin tenantajn sin man' en mano kaj kune promenantajn en la korto. Ofte ankaŭ ili eniradis la ŝtuparon kaj eniradis la kuirejon de Johanino.

La kuirejo estadis poste ĉiutage plena de bruo. El post la maldika muro de l' supra etaĝeto eliradis eksternen maldikaj voĉoj infanaj balbutantaj:

— A⋯ b⋯ c⋯ a⋯ b⋯ c⋯

삯빨래로 힘들어, 늘 상심해 있던 그 소년 어머니는 종종 아들을 욕하고 심지어 때렸다. 반면에 그 아들을 끔찍이 사랑하는 아버지는 술집에서 나올 때는, 완전히 태우지 못한 담배와, 브랜디 냄새나는 비스킷을 들고 나왔다.

그 아들에게는 재미와 즐거움, 삶에 대한 지식의 원천이 그 술집이다.

그런데, 얼마 전부터 이 늙어버린 소년 마음은, 처음으로, 불의의 감정이나 두려움, 또 술집에 대한 감정과는 다른 감정이 싹트기 시작했다.

그는 평생 요하니노만큼 아름다운 아가씨를 본 적도 없고, 그 아가씨가 들려주는 만큼 감미로운 목소리와 흥미로운 이야기를 들은 적도 없다.

그 아가씨가 점심 준비하고, 리넨을 수선할 때마다, 그 소년은 자신이 할 수 있는 범위 내에서 그 아가씨를 도와주었다. 때로, 그는 그 아가씨가 일하는 부엌 벽 옆의 땅바닥에서 자신의 무릎을 두 손으로 감싼 채 앉아, 벌써 그 아가씨를 자신의 눈썹 아래서 야멸찬 모습이 아니라, 두려움 없는 이해심으로 바라보고 있다.

그 아가씨가 그 소년에게 꼬맹이 마뇨도 착하게 대해 주라고, 때리지도 말고, 꼬집지도 말고, 겁주지도 말라고 타이른 뒤로는, 그 소년과 꼬맹이 마뇨는 서로 손을 잡고, 마당에서 함께 걸어 다니는 모습이 사람들 눈에 자주 띠였다. 종종 그들도 계단을 통해 요하니노 부엌에 드나들었다.

그 부엌은 나중에는 매일매일 소란스러웠다. 위층의 얇은 벽 뒤에서 가느다란 아이들의 알파벳을 읽는 목소리가 더듬거리며 흘러나왔다.

　"아… 보… 쪼… 아… 보… 쪼…8)"

8) *역주: 폴란드어 알파벳 대소문자: A(아)… B(베)…C(체)

Aliaj pliaĝaj paroladis:

— La abelo, kvankam malgranda, estas utila insekto. Ĝi havas kvar flugilojn, ses piedojn, du kornojn kaj pikilon.

Aŭ:

— Kvinfoje ses··· tridek··· kvar de dek··· ses, k. t. p. La granda Kosĉio montriĝis speciala amatoro de la kaligrafio. Nenio plaĉis al li tiel kiel kondukado de l' plumo sur la papero jen pli malforte jen pli forte, kaj kiam li nur komencis jam skribi literojn, li admiradis siajn ĉefverkojn. Johanino mem skribis por li kaligrafiajn modelojn. Si havis en tiu-ĉi sian celon. La knabo plenskribinte la tutan paĝon prenadis la paperon per ambaŭ manoj, kliniĝadis super la tablo kaj laŭte, triumfante, ĝojege legadis sian skribaĵon:

— Ne faru al alia, kio estas malagrabla al vi··· Kvankam malriĉe sed pure··· Por manĝi fritan kolombeton ne sufiĉas malfermi buŝeton···

En tiu-ĉi tempo Johanino jam neniam estis malgaja. Ŝi havis pli serenan, pli sanan aspekton. Ŝia gajno estis tre malgranda, sed estas konate, ke la ideo pri grandeco kaj malgrandeco estas en tiu-ĉi mondo ekstreme malegala.

Por ŝi tiuj-ĉi malgrandaĵoj estis preskaŭ savo. De unuj ŝi ricevadis malgrandajn kvantojn da mono, la aliaj ŝin rekompencadis alie laŭ ebleco.

La lavistino lavadis senpage ilian tolaĵon;

그중에 더 나이 많은 아이들이 말하는 소리가 들렸다.

"벌은 작지만 유용한 곤충입니다. 날개가 4개, 발이 6개, 뿔이 2개, 침이 1개 있습니다. 또는"

"6 곱하기 5는 …30…또 10 빼기 4는…6, 등등."

덩치 큰 코스타치오는 글자 쓰기에 특별히 관심이 많은 사람으로 밝혀졌다. 종이에 이제 때로는 약하게 때로는 강하게 펜을 돌리는 것만큼 그를 기쁘게 하는 것은 없다. 이제 막 글자를 하나둘씩 쓰기 시작했을 때, 그는 자신이 쓴 모양을 보고는 감탄해 왔다. 요하니노가 스스로 그 아이를 위해 글자 쓰기 시범을 보여주었다. 요하니노는 이제 자신만의 목표를 갖게 되었다. 그 소년은 종이 한 바닥을 빼꼭히 쓰고 난 뒤, 그 종이를 자신의 두 손으로 반듯하게 들고, 탁자 위에서 자신이 내려다보면서 승리를 쟁취한 듯이, 기쁘게도 자신이 쓴 글자들을 큰 소리로 읽어 갔다.

"자신에게 불쾌한 일을 남에게 행하지 말라… 비록 가난하지만 깨끗하게… 비둘기 튀김을 먹으려면 입만 열어서는 충분하지 않다[9]…."

이제 요하니노는 더는 슬퍼하지 않았다. 그녀는 더욱 차분한 모습이고, 더욱 건강한 모습이다.

그녀가 얻는 것은 매우 적었다. 하지만, 이 세상에는 크고 작음의 개념이란 극도로 불평등한 것도 사실이다.

그녀에게는 이 작은 이득은 거의 구원이었다.

어떤 사람들은 그녀에게 약간의 돈을 주고, 또 다른 사람들은 그들 형편에 맞도록 다른 방법으로 그녀에게 보상했다.

삯빨래 하는 아줌마는 그녀를 위해 리넨을 무료로 빨래해 주었다.

---

9) 역주: 폴란드 속담으로 '인생에서 어려움이나 행동 없이 오는 것은 없다'는 뜻임.

la masonisto, posedanta vastan ĝardenon alportadis legomojn kaj fruktojn, la domgardisto fendadis ilian lignon por hejtado. Kiel ŝi ekmiris rimarkante, ke eĉ la drinkulo seruristo deziris pagi al ŝi per mono vere alinatura, sed kiu ne malpli havis por ŝi altan valoron.

Kiom- foje ŝi revenante de la urbo eniradis la korton, tiu-ĉi homo ankaŭ aperadis. Ĉu ekvidinte ŝin tra la fenestro li elfaladis el la drinkejo, aŭ elŝoviĝadis el post la angulo de l' domo, kie li sidadis tutajn horojn mallaborante, ĉu en siaj pli bonaj tagoj interrompante sian seruristan laboron, li eliradis el sia loĝejo, ĉiam kun horloĝa reguleco, la densa hararo kaj la malalta frunto kliniĝadis antaŭ ŝi kaj la flavaj ŝvelitaj lipoj presadis sur ŝian manon laŭtan kison.

Estis tio vere abomena kiso de drinkulo, kies postsignojn ŝi preskaŭ senscie plej rapide forviŝadis, kiu tamen kiel brilianto enfaladis en ŝian koron. Kiel briliantoj lumis ŝiaj okuloj, kiam ŝi alportis kaj montris al la frato duon-dekduon da neĝblankaj novaj ĉemizoj, kiuj anstataŭis la malnovajn disŝiritajn.

Tiun-ĉi tagon ankaŭ ŝi ornamis sian nigran ĉapelon per brancêto de artaj floroj··· Nun ŝi rigardadis la homojn kuraĝe kaj trankvile; sed estis en la urbo unu homo, kies rigardon, kiomfoje ŝi lin rimarkis, ŝi deziris renkonti,

넓은 정원을 소유한 벽돌장이는 채소와 과일을 가져왔다.

집 경비원은 그녀의 난방용 장작을 가져 왔다.

심지어 술을 취하도록 마셔오던 그 자물쇠 제조공이 그녀에게 정말 부자연스러우면서도 다소 고액의 돈을 내고 싶다는 사실을 말하자, 그녀는 얼마나 놀랐던가?

요하니노가 시내에 갔다가 집 마당에 들어설 때마다, 매번 자물쇠 제조공도 모습을 보였다.

그는 술집 창문 너머로 요하니노를 보면, 술집에서 뛰쳐나오기도 했다.

때로는 몇 시간 동안 아무 일도 하지 않은 채 앉아 있던 집 모퉁이 뒤편에서 빠져나왔다.

또 경기 좋을 때는 자신이 하던 일을 멈추고 언제나 회중시계 바늘처럼 정확히 자신의 집 바깥으로 나왔다.

그는 요하니노 앞에서 자신의 짙은 머리카락과 낮은 이마를 숙이며, 누렇게 부어오른 입술로, 그녀 손에 요란한 소리가 날 정도로 키스를 찍어댔다.

술고래의 정말 악취 풍기는 키스였다.

키스 흔적을 그녀가 거의 무의식적으로 가능한 한 빨리 닦아 냈다.

하지만, 그래도, 빛나는 보석처럼 그녀 마음에 떨어졌다.

요하니노가 지금까지 낡고 해진 오빠 셔츠들을 바꿀, 눈처럼 새하얀 새 셔츠 6벌을 오빠에게 가져와서 보여줄 때, 그녀 두 눈 또한 얼마나 보석처럼 빛났던가.

이날 그녀도 자신의 검정 모자에 꽃가지 모형 장식을 했다. 이제 그녀는 사람들을 용감하고 침착하게 바라볼 수 있다.

그런데 그때 그 도시에 한 남자가 있다.

그 남자 눈길을 그녀가 몇 번이나 알아차렸던가.

요하니노는 그 사람을 한번 만나보고 싶지만,

kvankam ŝi penadis ne pensi pri tio.

Li estis tre bona por ŝia patro dum la longedaŭra malsano, ŝi vidadis lin tiam ofte, aŭskultadis interparolojn kiujn li havis kun la instruita pedagogo — poste li venis al la entombigo kaj kiam ŝi ŝanceliĝanta sekvis la ĉerkon li apogis ŝian manon sur sia brako. Kaj nenio pli estis inter ili, sed ŝi neniam ĝin forgesis. Nun ŝi vidadis lin nur en la strato, de malproksime, veturantan en beleta unuĉevala kaleŝo por viziti siajn pacientojn. Kiomfoje li rimarkis ŝin, li ŝin salutis ĝentile.

Nenio pli.

Tamen en ŝia koro ia kordo obstinis vibri ĉe ĉia renkonto kun li kaj kanti al ŝi pri li dum la horoj de silento. Ŝi diris al si: Neeble!

Sed jam neniu pli faris sur ŝi eĉ plej malgrandan impreson, kaj iafoje dum lunaj noktoj post taga laboro ripozante, sed ankoraŭ ne dormante, tra la vitroj de l' fenestreto ŝi rigardadis supren, alten… Tiu granda feliĉo, pri kies akiro ŝi eĉ ne revis, tiam ŝajnis al ŝi ideala ĉielarko pendanta en neatingebla malproksimeco super la griza tero… Iafoje ankaŭ ŝi imagis, ke ŝi estas eta vermeto vigle rampanta ĉe l' fundamento de alta ĉielon tuŝanta konstruaĵo. Ĉe l' fundamento, tiun-ĉi esprimon ŝi ie aŭdis, legis. Jen ŝi nun estis tie. Pli alte estis radie, lume. Tie la homoj levadis kaj prilaboradis multekostajn marmorojn, detiradis el ĉielo sunajn radiojn,

그 점은 생각하지 않으려 했다.

요하니노 아버지가 투병하는 동안, 그 의사 선생님은 여러 차례 그녀 집으로 왕진하러 왔다. 그 의사 선생님은 매우 친절하게 진료했다. 그녀는 그러면서 자주 그를 보게 되고, 교사인 아버지와 그가 나누는 대화를 자주 들어 왔다. - 나중에 그는 장례식에도 왔고, 그녀가 부친의 관 뒤를 비틀거리며 따라갈 때, 그녀 팔을 자신의 팔에 의지하도록 그는 허락해 주었다. 그러고는 그 둘 사이에는 더는 아무것도 없다. 하지만 요하니노는 장례식 때의 그 일을 결코 잊지 못한다. 이제 그녀는 환자 가정에 가려고 한 마리 말이 끄는 아름다운 사륜마차에 탄 그를 거리에서만 볼 수 있다. 그는 그녀를 알아볼 때마다 그녀에게 정중하게 인사를 건넸다.

그게 다였다.

그러나 요하니노는, 그를 볼 때마다, 자신의 마음에서 뭔가 선율이 진동했고, 침묵의 시간에도 그를 노래했다. 하지만 그녀는 스스로 이렇게 말했다: 그건 불가능한 일이야!

그러나 그이 말고는, 아무도 그녀에게 또 다른 인상도 남기지 못했다. 그녀는, 때로는 하루 일을 마치고서, 달 밝은 밤에 잠자지 않고 쉬면서, 작은 창문 유리를 통해 저 높은 곳을 보았다… 요하니노가 꿈도 꾸지 못하는 큰 행복의 획득이란, 그녀에게, 회색 땅 저 위로 닿을 수 없는 거리에 걸린 완벽한 무지개처럼 보였다… 때로, 그녀는 자신을 하늘에 닿는 마천루 건물의 저 밑바닥에서 활발하게 기어가는 작은 벌레로 상상했다. '저 밑바닥에서'라는 표현을 그녀는 어딘가에서 듣기도 하고 읽은 적도 있다.

요하니노는 지금 저 밑바닥에서 살고 있다.

저 높은 곳은 환한 빛이다. 저 높은 곳 사람들은 값비싼 대리석을 들어 올려 가공하고, 하늘에서 빛을 끌어오고,

serĉadis juvelojn kaj ornamadis la mondon kaj sin mem per briloj.

Ŝi kune kun granda nombro da similaj estaĵetoj kolektadis en ombro polveretojn, sed ŝi tiel tute estis kontenta je tio, ke antaŭ ŝia fantazio la estonteco fariĝadis serena, kaj eĉ el tiu alta ĉielarko de l' muta per ĉiam sento ne faladis sur ŝiaj lipoj eĉ guto de maldolĉeco, sed nur defluadis iafoje iom da sopiro kaj malĝojo.

Ofte en malfruaj vesperoj maldecaj kantoj, malbelegaj ridegoj, krudaj piedobatoj kaj bruoj drinkejaj el malsupro, el sub la planko penetradis en la malluman aŭ lumigitan per la luno kuirejon. Sovaĝa tiu-ĉi bruo tiam flugpendadis super la blanka litkovrilo, super la pensoj, revoj kaj infane pura trankvila sonĝo de Johanino.

*   *   *

보석을 찾으러 가고, 이 세상과 자기 자신을 반짝임으로 장식해
왔다.

요하니노는, 자신과 비슷한 처지의 수많은 존재와 함께, 그늘
에서 작은 먼지를 모아 왔다.

그녀 상상 속 미래가 밝고 가득 차 있음에 온전히 만족했다.

또 영원히 고요한 느낌의 저 높이 걸린 무지개에서 한 방울
의 씁쓸함도 그녀 입술에 떨어지지 않음에도 그녀는 온전히 만
족했다.

그래도 요하니노 입가에는 뭔가 약간의 그리움과 슬픔이 비
친다.

종종 한밤중에 저 아래 술집에서 들려오는 부적절한 노래, 천
박한 웃음소리, 거친 발차기 및 요란한 소리가 어둠 속에도 환
한 달빛에도 요하니노 부엌에 들려왔다.

이 거친 소음은 요하니노의 하얀 이불 저 위로, 또 요하니노
의 생각과 꿈, 또 순수하고 조용한 소망 저 위로 휘감았다.

*   *   *

Kvankam ŝi instruis sufiĉe grandan nombron da infanoj, ŝi tamen ne ĉesis okupadi sin diligente de sia malgranda mastraĵo. Tial ŝi ĉiutage unu aŭ du fojojn eliradis urbon por aĉeti provizojn kaj aliajn necesajn objektojn. Dum tiuj-ĉi ekskursoj ŝi devis plejofte preterpasi proksime la grandan juĝejan konstruaĵon, sed ŝi neniam turnis sur ĝi eĉ plej malgrandan atenton. Ĝi estis tiel granda kaj ŝi tiel malgranda! La vastan internon de l' juĝejo plenigadis resonoj de disputoj kaj krimoj, kion ŝi do povis havi komunan kun ĝi? Tamen —kiel ĝi fariĝis, malfacile estas esplori— iun tagon ŝi eniris unu el la salonoj de tiu-ĉi konstruaĵo, kaj oni montris al ŝi tuj la lokon, kie ŝi devis sidiĝi. Estis la benko de l' kulpigitoj. Neniam poste ŝi povis klarigi al si, kiamaniere ŝi trapaŝis tra la homamaso kaj alvenis tiun-ĉi lokon.

Ŝajnis tiam al ŝi, ke la tuta sango kuris en ŝian kapon, bolis tie, bruis, ĝemis, bruligis ŝian frunton kaj vangojn kiel fandita fero. En ŝiaj okuloj la homoj, la muroj, la meblaro nebuliĝis kaj intermiksiĝis tiel, ke ĉirkaŭ si ŝi vidis nur ian multkoloran moviĝetantan amason. Kiam ŝi fine rimarkis, ke tiu-ĉi amaso havas kelkcent homajn okulojn, kiuj scieme ŝin rigardadis, plenigis ŝin sento kvazaŭ oni estus metinta ŝin tute senvestigitan en la mezon de l' urba foirejo.

Ŝi ekdeziregis leviĝi kaj forkuri,

요하니노가 꽤 많은 아이를 가르쳤음에도 불구하고, 자신이 해야 할 자질구레한 집안일을 빼놓지 않고 처리해 나갔다.

그래서 그녀는 양식이나 다른 생필품을 사러 매일 한두 번씩 시내를 다녀 왔다.

이렇게 장 보러 다녀오면서, 그녀는 대개 그 큰 법원 건물 바로 옆을 지나가야 했다.

하지만, 그녀는 그 건물에 전혀 관심도 두지 않고, 한 번도 눈길을 돌리지 않았다.

그 건물은 너무 컸고 그녀는 너무 작다!

드넓은 법원 내부는 다툼과 범죄의 메아리로 가득 차 있는데, 그게 그녀와 무슨 공통점이 있는가?

그런데 - 일이 어떻게 그리 진행되었는지 조사하기 어렵다 - 어느 날 그녀가 이 법원 건물 내 한 법정 안으로 들어가, 그녀가 앉을 자리로 즉시 안내되었다.

그곳은 피의자석이었다.

나중에, 그녀는 어떻게 군중을 뚫고 이곳에 도착했는지 스스로 설명할 수도 없다.

그때 그녀 자신의 모든 피가 자신의 머리로 돌진하고 거기서 끓고, 요란스럽게 신음하며, 자신의 이마와 뺨이 마치 불타 녹아내리는 쇠처럼 느껴졌다.

그녀 두 눈에는 사람들, 사방 벽, 또 법정 내 설비가 안개처럼 뿌옇게 뒤섞여, 그녀 주변이 여러 가지 빛깔의 움직이는 뭉치로만 보였다.

그녀가 마침내 이 뭉치가 자신의 일거수일투족을 유심히 살피는 수백 개의, 사람들 눈임을 깨달았을 때, 그녀는 마치 자신이 시내 장터 한가운데 완전히 발가벗겨진 채 있는 것 같았다.

그녀는 그 자리에서 얼른 일어나 내빼고 싶지만,

sed en sia turmentita animo ŝi havis malklaran senton, ke tio estas neebla.

Tiuj, kiuj en tiu-ĉi momento ŝin rigardis, vidis maldikan, delikatan knabinon, malriĉe vestitan, tremantan, timigitan, flame ruĝiĝintan ĝis la strioj de ŝiaj blondaj haroj.

Estis la plej granda salonego de l' juĝejo. Preskaŭ preĝeja alteco donis al ĝi imponan vidon; solenan impreson faris la tapiŝoj kaj tukoj kovrantaj la longan tablon, ĉe kiu sidiĝis la juĝistoj. Amaso da homoj plenigis la benkaron. En la laŭlarĝa muro kvar grandegaj fenestroj ĵetadis monotonan blankan lacigantan lumon sur la altajn blankajn monotonajn murojn, sur la seriozajn juĝistojn, sur la multekoloran moveman homamason, zumantan per duonlaŭta interparolado. Tie kaj tie-ĉi ekbalanciĝis diverskoloraj floroj sur virinaj kapoj, eksonis kiel eĥo de l' plafono iom pli laŭte elparolita vorto. La juĝeja servisto elparolis laŭtege kelkajn vortojn kaj fariĝis silento, ĉe kiu aŭdiĝis voĉo de prezidanta juĝisto:

Proceso de Johanino Lipska, kulpigita pro kondukado de lernejo sen permeso de la registaro.

Tiuj-ĉi vortoj rekonsciigis Johaninon. Ŝi stariĝis kaj respondis kelkajn demandojn de l' prezidanto mallaŭte sed klare. Poste ŝi ree sidiĝis. La fajra ruĝaĵo malaperis de ŝia vizaĝo, kiu ree fariĝis pala kiel ordinare.

고통받는 영혼에서는 이는 불가하다는 막연한 느낌을 받았다.

바로 그 순간, 요하니노를 살피는 사람들은 그녀가 마르고 연약한 아가씨임을 알게 되었다.

또 그녀의 수수한 옷에 겁에 질려 떨고 있는 모습을, 심지어 그녀의 금발 머리칼까지도 불타오르듯이 붉혀진 모습임을 알게 되었다.

그곳은 법원의 가장 큰 법정이었다.

법정은 거의 성당 높이로, 인상적인 전망을 제공했다.

엄숙함을 상징적으로 보여주는 것은 재판석의 카펫과 긴 탁자를 덮은 천이다.

방청석 벤치마다 수많은 수의 사람으로 가득 차 있다.

길이 방향으로 4개의 균일한 대형 창문을 통해 높고도 하얀 단조로운 사방 벽 위로, 또 진지한 모습의 판사들에게로, 또 여전히 소곤대는 말소리로 웅성거리는 다양한 색의, 움직이고 있는 인파 위로 하얀 햇빛이 단조롭게 피곤하게 들어왔다.

여자들 머리 위 여기저기에 형형색색의 꽃들이 균형을 잡으려 했다.

조금 큰 소리의 대화는 마치 천장에서 메아리처럼 들렸다.

법원 정리가 큰 소리로 몇 마디 말을 하자, 청중은 어느새 조용해졌고, 그때 법정에 재판장 목소리가 들려왔다:

"당국 허가 없이 교습소를 운영한 혐의로 기소된 요하니노 립스카 사건, 개정합니다."

이 말에 요하니노는 정신이 번쩍 들었다.

그녀는 자리에서 일어나, 재판장의 몇 가지 질문에 조용하지만 명확하게 답변했다.

그다음 그녀는 다시 자리에 앉았다.

그녀 얼굴의 불같은 홍조가 사라지고 다시 평소처럼 창백해졌다.

Samtempe estis videble, ke ekkaptas ŝin enpensiĝo tiel insista kaj neforpelebla, ke ĝi forturnadis ŝian vidon kaj aŭdon de la sceno ludata antaŭ ŝi kaj tiel proksime ŝin tuŝanta. En ŝiaj larĝe malfermataj okuloj pentriĝis miro. Ŝi levis ilin alten kontraŭ la ornamaj kornicoj de la kontraŭa muro; kelkfoje ŝi movadis la kapon, kvazaŭ ŝi penis kompreni ion eksterordinare mirindan kaj —neniel ŝi povis. Malfacile estus diri, ĉu ŝi turnis ian atenton sur la diroj de l' atestantoj. Tamen ili estis laŭtaj kaj daŭris longan tempon.

La korpulenta kaj grizhara Rojnowska en nemoda mantelo kaj kun plata ruĝa floro sur la ĉapelo, viŝante per tuko la ŝvititan grandan bonaniman vizaĝon, kelkajn fojojn ripetadis la konfeson, ke ŝi mem estas kulpa je ĉio.

La konscienco ne permesas al ŝi paroli alie. Ŝi estis la unua, kiu igis Johaninon Lipska'n instrui infanojn.

La knabino estas malriĉa, bezonis perlaboron; kaj ŝi mem havas nepinojn. Se ŝi scius, ke tio-ĉi estas io malbona, certe ŝi ne estus iginta ŝin, sed je Kristo ŝi ĵuras, ke eĉ ne venis en ŝian kapon, ke ŝi konsilas al io ajn malbona. Grizajn harojn ŝi havas, ŝia vivo pasis en tiu-ĉi urbo, kaj ke ĉiuj atestu, ĉu ŝi iun-ajn instigis al io-ajn malhonesta.

Eksploretante ŝi ankoraŭ unu fojon komencis ripeti, ke ŝi mem igis⋯ eĉ petis⋯

동시에, 너무나 집요해 피할 곳이 없다는 괴로운 생각에, 그녀는 자신 앞에 벌어지는 이 장면에서 자신의 눈과 귀를 저 멀리 다른 곳으로 돌리고 싶을 정도였다.

요하니노의 크게 열린 두 눈도 놀람 그 자체다.

그녀는 자신의 두 눈을 반대편 벽의, 기둥 상부의 돌출 장식 쪽으로 높이 올려다보았다.

때때로 그녀는 뭔가에 너무 놀란 이유를 찾으려는 듯이 머리를 움직였는데, 도무지 이해가 되지 않았다. 그녀는 법정에 함께 소집된 증인들의 진술에 어떤 관심을 기울였는지 말하기가 어렵다. 그러나 그 증인들 목소리는 시끄러웠고, 오래 이어졌다.

뚱뚱하고 희끗희끗한 머리카락의 증인 로즈노브스카 부인은 유행에 뒤떨어진 망토를 입고, 납작한 붉은 꽃을 단 모자를 쓰고, 땀에 젖은 크고 선량한 얼굴을 손수건으로 닦으며, 몇 번이나 자신이 모든 것에 책임이 있다는 자백을 반복해 말했다.

양심은 그 부인이 달리 말하는 것을 허용하지 않았다.

그 부인이 요하니노 립스카에게 자신의 손녀들을 가르치도록 한 최초의 사람이다. -저 아가씨가 가난해 일자리가 필요했다며, 증인인 자신에게는 손녀들이 있기에. 증인인 그녀가 이게 뭔가 나쁜 일이라는 것을 알았더라면 분명히 요하니노 립스카에게 그 일을 시키지 않았을 것이라고 했다. 그러나, 그리스도에 맹세코, 그녀는 자신이 나쁜 뭔가를 조언한다는 생각조차 자신의 머리에 한 번도 해 본 적이 없었다고도 했다.

그 부인 자신은 머리카락이 희끗희끗할 때까지 평생 이 도시에서 살고 있다며, 그녀가 누군가에게 뭐든 부정직한 일을 하도록 선동했다면, 모든 사람이 증언하게 해달라고 했다.

그 부인은 울먹이기도 하였다.

그 부인 스스로 그 일을 하게 되었고… 자신이 심지어 요청까지 하였다고 되풀이 말했다.

sed oni donis al ŝi signon, ke ŝi jam eksilentu kaj sidiĝu.

La amikino de la posedantino de l' kalandro, proprajŭlino de du dometoj, malgrandeta seka virino, brilanta en tiu-ĉi kunveno per kaŝmira vesto kaj elegantaj manieroj, deklaris per voĉo mallaŭtigata, sed kun agrabliĝema rideto, ke la librojn, kiuj kiel „corpus delicti" kuŝis antaŭ la juĝantaro, ŝi efektive aĉetis kaj donacis al Lipska, kiu preparis ŝian filon por la tria klaso tiel bone, ke nun, se li ne estus ankoraŭ tro malgranda, oni lin estus akceptinta eble en la kvaran klason. Tre konscience ŝi instruadis, tre konscience··· tiel konscience, ke ŝi konsideris kiel sian devon plialtigi al ŝi la pagon.

Se ŝi estus sciinta, ke tio estas ia malbonaĵo, ŝi certe ĝin ne estus farinta, sed "parol' de honoro", ke ŝi ne sciis. Kiu havas infanon, devas klopodi pri ĝia edukado, kaj jen proksime guvernistino honesta, konscienca kaj pli malkara ol aliaj, ĉar ŝi estas malriĉa orfino··· Tie-ĉi ŝi faris antaŭ la juĝantaro elegantan riverencon, kaj ĉiam agrabliĝeme ridetanta kaj kun iom tremantaj lipoj kaj palpebroj ŝi sidiĝis apud Rojnowska.

De la laŭvice demandata lavistino, edzino de la drinkulo-seruristo oni povis sciiĝi malplej, ĉar tiu-ĉi virino, altkreska kaj malgrasa, kun vizaĝo laŭlarĝe kaj laŭlonge sulkigita pro doloro kaj zorgoj,

그러나 그녀는 울음을 그치고 앉으라는 주의를 받았다.

　다음 증인으로, 그 유럽 종달새를 키우는 로즈노브스카 부인의 친구이자, 건물 2채 주인인 작고 마른 여인이 이 법정에서 캐시미어 천의 드레스와 우아한 매너로 빛을 발산하며, 아주 낮은 목소리이지만 상큼한 미소를 지으며 선서했다. "corpus delicti"[10]가 재판석 앞에 놓인 증거물인 3학년용 교과서들을 그녀가 직접 사서, 자기 아들을 가르쳐 달라고 요하니노 립스카에게 선물로 주었다고 했다. 그 수업에 참석한 그녀 아들은 지금 어린 나이가 아니라면 4학년에 갈 정도로 실력이 향상되었다고 자랑스러워했다. 매우 성실하게 요하니노 립스카가 가르쳤기에, 매우 성실하게… 그렇게 성실하게 가르쳤기에, 요하니노 립스카에게 그녀가 자기 아이를 잘 가르친 대가를 처음 정한 액수보다 높게 줄 걸 곰곰이 생각 중이라고도 했다.

　이 교습 일이 일종의 나쁜 일이라는 것을 그녀가 알았다면 그녀는 분명히 그렇게 하지 않았을 것이다. 그러나 "명예를 두고 말하건대", 그녀는 몰랐다고 했다. 자녀를 둔 사람이라면 누구나 자신의 자녀 교육에 노력해야 한다면서, 이렇게 가까이 정직하고 양심적이며, 다른 이보다 낮은 보수로 가르쳐주는 여성가정교사가 있다고 했다. 저 여성가정교사가 부모도 없는 가난한 고아이기에… 그 말까지 하고서, 그녀는 재판부에 정중한 인사를 하고, 연신 다정하게 살짝 웃으며, 살짝 떨리는 입술과 눈꺼풀을 하고서, 로즈노브스카 부인 옆에 곧장 앉았다.

　순서에 따라 다음 질문을 받은, 삯빨래하는 여인은 주정꾼인 자물쇠 제조공의 아내였다. 그 증인을 통해서는 가장 적은 것만 알 수 있었다. 그 여인은 키가 크지만 마르고, 고통과 근심으로 인해 얼굴에 위아래로 또 좌우로 주름져 있고,

---

10) *역주: (라틴어) 증거의 몸통

en simpla mallonga jupo kaj kun granda tuko sur la kapo, estis tiel timigita kaj ĉagrenita, ke krom kelkaj konfuzaj apenaŭ aŭdeblaj vortoj, ŝi nenion povis elparoli. Ŝiaj brakoj tremis sub la granda tuko, kaj el la okuloj bruligitaj per la vaporo de akvo bolanta kaj per la varmego de l' gladigiloj, larmoj kiel pizo faladis sur ŝiajn dikajn, brogitajn, sur la brusto kunplektitajn manojn.

El tuta ŝia parolado oni povis aŭdi nur vortojn: filo dekdujara, patro drinkulo, drinkejo en tiu sama domo, lernado, bona fraŭlino··· Oni silentigis ŝin baldaŭ, kaj anstataŭis ŝin la masonisto.

Tiu-ĉi parolis por si mem kaj por sia autaŭantino kaj li parolis multe, rapide kaj tiel laŭte, ke kelkfoje oni admonis lin, ke li malaltigu la voĉon, kion li tuj obeis, sed per sia forta muskola mano ŝirante sian latunan horloĝan ĉenon aŭ malordigante sur la kapo sian densan malmolan hararon, tuj ree fervoriĝis kaj pli laŭte ol estus konvene, pruvadis, ke se li por la instruado de sia filino pagis al la fraŭlino per terpomoj kaj legomo, videble li tre klopodis pri tio, ke sia filino lernu ion.

Sendi ŝin al edukejo estas ja por li tro multekoste. Kion li do devis fari? Kaj kion li ja faris malbonan? Aŭ tiu-ĉi fraŭlino kion ŝi faris malbonan? Post tiu-ĉi demando li etendis la brakojn ambaŭflanken kun tia gesto kaj tiel malfermegis la okulojn, kvazaŭ antaŭ li la tuta mondo renversiĝus

수수한 짧은 치마를 입고, 머리에 큰 두건을 두르고 있었다. 그 여인은 겁에 질리고 소심해, 몇 가지 혼란스러운 말과 또 거의 들리지 않게 하는 말 말고는 거의 다른 말을 할 줄 몰랐다. 그녀의 두 팔은 자신의 큰 두건 아래서 떨고 있고, 그녀 두 눈은 끓는 물의 수증기와 다리미의 뜨거운 열기로 인해 벌겋게 되어 있었다.

완두콩 같은 눈물이 그녀 가슴 위로 함께 모은, 화상 입은 두툼한 양손 위로 떨어졌다.

그녀의 모든 진술에서 오직 이 말만 들렸다. "열두 살의 아들, 주정꾼 아버지, 같은 건물의 술집, 학습, 착한 아가씨…" 이제 그녀는 곧 증언을 마쳤다.

벽돌장이 남자가 그녀를 대신했다.

이 남자는 자기 자신과 앞서 증언한 여인을 옹호하는 말을 많이, 빠르게, 또 너무 큰 소리로 말하자, 법정에서 여러 차례 그 목소리 낮추라는 주의를 받았다. 그는 즉시 그 주의에 따랐다.

그는 강한 근육질의 손으로 자신의 황동 회중시계 줄을 만지작거리거나, 자신의 두껍고 거친 머리카락을 헝클어뜨리면서도, 더 열성적으로 또 평소보다 더 큰 목소리로, 만일 자신이 자기 딸의 배움 대가로 이 여성 가정교사에게 감자와 채소를 제공하였다면, 이는 자신이 자녀 배움에 애를 많이 애썼다는 증표라고 했다.

그로서는 자녀를 학교 보내는 게 실제로 너무 큰 비용이 든다고 했다. 그렇다면 그 자신이 뭘 할 수 있는가요? 또 자신이 정말 뭘 잘못했는가요? 아니면 이 아가씨가 무슨 잘못을 했는가요? 이렇게 질문한 뒤, 그는 그런 몸짓으로 양팔을 쭉 뻗으며 자신의 두 눈을 크게 떴다. 마치 세상이 자신의 앞에서 뒤집혀 있지 않다면,

kaj li neniel povus kompreni, kial oni ŝin kulpigas.

Post tiu-ĉi masonisto donis siajn atestojn ankoraŭ la bakisto, la domgardisto, ia veturigisto kaj ia oficistvidvino, fine kaj plej longe tiu, kiu faris la malkovron, ke en la etaĝeto de l' domo, kie troviĝas drinkejo, areto da infanoj sciiĝadis, ke abelo havas kvar flugilojn, ses piedetojn du kornetojn kaj pikilon, ke kvar de dek estas ses, ke al sia proksimulo oni devas fari nenion, kio estus malagrabla al ni mem, k t. p. kaj ke ĝi sciĝadis pri tio,—terurege—en patra lingvo!..

Dum la momenta silento, kiu fariĝis post kiam finis la lasta atestanto, la rigardo de Johanino malrapide deglitis de supre malsupren sur la homamason plenigantan duonon de la salonego.

Ĉiuj sidis sur la benkoj, atente kaj silente sekvantaj la kuron de l' proceso. En la multkolora kaj senmova en tiu-ĉi momento amaso distingiĝis unu homo, kiu ne sidis sed staris. Por pli bone vidi ĉion li staris post la benkoj sur ia malgranda subaĵo tiel alpremita per la ŝultroj al la muro, kvazaŭ ili estus algluitaj. La okuloj de Johanino fiksis lian vizaĝon kaj pleniĝis je teruro.

Tio estis ŝia frato, sed kiel alian mienon li havis nun. La sekajn brakojn en la elfrotitaj manikoj li krucigis kaj forte premadis kontraŭ la brusto; sur la paperblankaj vangoj montriĝis ruĝaj makuloj etendiĝantaj ĝis la rando de l' mallumaj okulvitroj.

왜 저 아가씨가 고소를 당했는지, 전혀 이해할 수 없다는 듯이.

이 벽돌장이 뒤로, 빵 굽는 사람, 집 관리인, 마차를 부리는 사람, 사무원의 과부가 증언했다.

끝으로 다른 한 증인이 있었다.

그 증인은 가장 오랫동안, 술집이 있는 그 집 다락방에 한 무리의 어린이들이 벌의 날개가 4개, 작은 발은 6개, 작은 뿔은 2개, 침이 있음, 또 10 빼기 4은 6이라는 것, 또 가까운 이웃분들께 불쾌한 일을 하면 안 됨을 배우고, 또, 그 아이들이 이 모든 것을 —깜짝 놀라게도— 제 나라말로 깨치는 현장을 보았다는 증언이 있었다!…

마지막 증언자 증언이 끝난 후, 잠시 침묵이 흐르는 동안, 요하니노 눈길은 저 위편에서 저 아래로 법정 절반을 가득 채운 군중에게로 천천히 미끄러져 갔다.

그들 모두 벤치에 앉아 재판 과정을 주의 깊게 또 조용히 따라갔다.

그때, 움직이지 않는, 다양한 방청객 속에서 한 사람이 그녀 눈에 띄었다.

그 방청객은 앉아 있지도 않고 서 있다.

모든 것을 더 잘 보려고 그는, 마치 접착제로 붙인 것처럼, 어깨를 벽에 밀착해, 작은 뭔가를 밟고, 그 발 받침 위의, 방청석 뒤편에 서 있다.

요하니노 눈은 그의 얼굴에 고정한 채, 공포에 질려 있다.

지금 그가 아무리 다른 표정을 하고 있어도, 그는 바로 그녀 오빠 미에치슬라오 립스키였다.

그는 낡은 소매 속 깡마른 팔을 교차시켜 가슴을 세게 눌렀다. 백지장 같은 뺨에는 검은 안경 가장자리까지 붉은 반점이 보였다.

Li spiris rapide kaj la buŝon li havis iom malfermitan. Kun streĉita atento li aŭskultis la mallongan sed energian kulpigon, kiun ' proklamis la prokuroro kaj la iom konfuzan defendon de Kadvokato.

Poste la prezidanto turniĝis al Johanino deklarante, ke ŝi havas la rajton diri en tiu-ĉi afero la lastan vorton kal demandante, kion ŝi povus kaj volus diri por sia defendo.

Super la altan pezan apogilon de la benko de l' kulpigitoj leviĝis delikata blondhara nigre vestita knabino.

La palpebrojn ŝi havis mallevitajn, la staturon trankvilan kaj la voĉon iom tremantan:

— Mi instruis infanojn, mi pensis, ke mi agis bon e···

Tie-ĉi por momento ŝia vizaĝo frapante ŝanĝiĝis. Kvazaŭ ekboliĝis en ŝi iaj fortegaj sentoj ŝi levis la frunton, ŝiaj okuloj ekbriliĝis, la lipoj ektremis, kaj korektante sian lastan frazon ŝi laŭte kaj malkonfuze diris:

— Kaj ankaŭ nun mi pensas, ke mi bone agis.

Senkodiĉe ŝi estis kulpa. Tamen estis mirinde, kial la prezidanto ne leviĝis tuj por iri kun la kolegoj en la konsilĉambron, sed sidis kelkajn minutojn kun kapo iom levita kaj kvazaŭ en ĉielarkon enrigardadis la kulpigitan, kun kia esprimo de okuloj? —Tion pro la malproksimeco

그는 호흡이 가빠지고 입은 살짝 벌려졌다.

그는 아주 긴장하고, 주의를 기울여, 검사가 짧고 정력적으로 읽어나가는 기소장과, 변호인의 다소 혼란스러운 변호를 들었다.

그다음 재판장은 요하니노에게 이 재판에서 마지막으로 말할 권리가 있다고 알려주었다.

이어 재판장은 피고에게 그 자신을 변호하기 위해 뭐든 말할 수 있고, 또 하고 싶은 말을 할 것인지 물었다.

피고인 벤치에서 높고 묵직한 등받이 저위로 검정 옷을 입은 가녀린 금발 머리 소녀가 일어섰다.

그녀 눈꺼풀은 내려져 있고 자세는 차분했으며 목소리는 약간 떨렸다.

"제가 아이들을 가르친 일은 잘한 일이라 생각했습니다…"

여기서 잠시 그녀 얼굴은 눈에 띄게 바뀌었다.

마치 매우 강한 감정이 그녀 안에서 끓기 시작한 것처럼 느껴졌다.

그녀는 이마를 들어 눈을 반짝이며 떨리는 입술로 마지막 문장을 다듬고는 큰소리로 분명하게 말했다.

"그리고 저는 지금도 잘했다고 생각합니다."

분명히 그녀는 유죄였다.

그런데 놀랍게도, 재판장은 자신의 동료 판사들과 함께 조정 회의실로 가기 위해 곧장 일어나지 않았다.

그는 고개만 살짝 들어, 피고인을 무지개 바라보는 듯 몇 분 동안 보면서 앉아 있다.

그때 재판장 눈길은 어떤 감정이었을까? —그 느낌을 저 멀리

neniu el la homamaso povis rimarki. Rigardadis ŝin ankaŭ liaj kolegoj, el kiuj unu forte kuntiris la brovojn.

Tio-ĉi daŭris mallonge, poste ili stariĝis kaj foriris. Ne baldaŭ ili revenis. La afero estis simpla kaj klara, kial la interkonsilo daŭris tiel longan tempon?

Tubavoĉe la juĝeja servisto anoncis, ke la juĝantaro revenas. Kun murmuro simila al brueto de arboj movigitaj per vento, ĉiuj leviĝis.

Ĉe l' tablo kovrita per tuko la prezidanto kune kun la kolegoj stariĝis kaj kaj komencis legi la juĝon. Oni povis rimarki, ke li legis per voĉo iom pli mallaŭta ol kiam li parolis antaŭe. Johanino Lipska estis kondamnita je mona puno de ducent rubloj, kaj en okazo de nesolventeco, je tri monatoj de malliberejo.

La kunsido estas finita; la publiko eliras el la juĝejo. Tie kaj tie- ĉi la leĝistoj interparoletas, ke la knabino estas feliĉa, ĉar ŝi per malgranda puno pagos sian kulpon.

Tamen malgrandeco kaj grandeco estas ideoj eksterordinare rilataj. Tiel certe pensis Mieĉislao Lipski, kiu aŭdinte la juĝon ne faris eĉ plej malgrandan movon kaj staris kiel antaŭe apogita kontraŭ la muro kaj premanta kontraŭ la brusto la krucigitajn brakojn. Oficisto ia kun kolumo maldense brodita je oro tie pasis kaj rimarkinte lin haltiĝis antaŭ li.

군중 속에서는 아무도 알아차릴 수 없었다.

동료 판사들도 그녀를 보고 있었는데, 그중 한 사람은 강하게 눈살을 찌푸렸다.

이 장면이 잠시 계속되었다가,

판사들이 자리에서 일어나, 그 자리를 떠났다.

그들은 곧 돌아오지 않았다.

문제는 간단하고 명확했는데 왜 그리 조정이 오래 걸리는가?

묵직한 목소리로 법원 정리가 법정 안으로 판사들이 곧 돌아올 것이라고 알렸다.

바람에 흔들리는 나무들의 웅성거림과 함께, 모두 자리에서 일어났다.

천을 덮은 탁자 위에 재판장은 동료 판사들과 함께 일어선 채로 판결문을 읽기 시작했다.

재판장이 이전에 말할 때보다 약간 낮은 목소리로 판결문을 읽는 것을 볼 수 있다.

요하니노 립스카에게 벌금 200루블.

-그렇게 선고가 내려졌다.

만일 이를 어길 경우, 3개월 징역형.

재판은 끝났다.

청중은 법정을 떠났다.

여기저기서 법원 관리들은 그 아가씨가 작은 벌금으로 죗값을 치러 다행이라고, 서로 이야기한다.

그러나 작고 큼은, 유난히도, 연관성이 큰 개념이다.

그 판결을 듣고도, 조금도 움직임 없이, 이전처럼 벽에 기대어 선 채로 팔짱을 끼고 가슴에 두 손을 얹은 오빠 미에치슬라오 립스키는 그렇게 분명 생각했다.

황금색으로 얇게 수놓은 깃을 단 관리 한 사람이 지나가다가 그를 알아보고 그 앞에 멈춰 섰다.

Videble li konis lin kaj kun bondezira rideto li komencis:

— Nu kio, Mieĉislao Antonoviĉ'! Bone ĉio finiĝis! Sed kiel estos? Pago ĉu malliberejo? Morgaŭ matene mi venos al Vi. Sed pli bone estus pagi⋯ Ducent rubloj estas ne multe, kaj domaĝe estus, se la fraŭlino⋯ Kaj li foriris. En tiu-ĉi momento Mieĉislao deŝiriĝis de l'muro kaj saltis eliron. Kelkaj oficejaj kolegoj volis haltigi lin, diri ion, eble konsili⋯

Sed liaj okuloj estis tiel brulantaj, ke el post la mallumaj okulvitroj oni povis vidi ilian brilon, kaj la akraj kubutoj dispuŝadis ĉiujn kaj ĉion ĉirkaŭ li. Tiel li elkuris en longan galerion kun vico de grandegaj helaj fenestroj, tra kiu fluis la publiko, malrapide malaperanta malsupre sur la ŝtuparo. Tie li ekrigardis malantaŭen kaj en la niĉo de unu el la fenestroj li rimarkis Johaninon, kiu tie staris eble atendante lin, eble ne havante la forton ĉu kuraĝon fari al si vojon tra la homamaso. En tiu momento ŝi sekvis per la okuloj grupon da personoj sin trovantaj jam en la kontraŭa fino de l' galerio.

Tio estis du virinoj kaj unu viro ĉie en tiu urbo konata, la beleta, havanta grandan klientaron, precipe plaĉanta al sinjorinoj, doktoro Adamo.

Kiel multegaj aliaj homoj li venis tien-ĉi por aŭdi interesantan proceson, kaj facile oni povis observi, ke li eliris sub influo de seriozaj kaj malgajaj impresoj.

그 관리는 분명히 그 오빠를 알고 있고, 반가운 미소를 지으며 말했다.

"어, 뭐야, 미에치슬라오 안토노비치Mieĉislao Antonoviĉ'! 잘 끝났어! 하지만 어떻게 할 거야? 벌금, 아니면 감옥? 내일 아침에 내가 자네 집에 갈 거야. 하지만 더 나은 건 벌금 쪽이야… 200루블은 많지 않아. 단지 젊은 누이가… 안타까울 뿐이지."

그리고 그는 떠났다.

그 순간 미에치슬라오는 벽에서 자신의 몸을 떼어, 출입구로 뛰어갔다.

몇몇 사무실 동료들이 그를 제지해 뭔가 말하고, 조언이라도 하고 싶다…

그러나 그의 두 눈은 너무 뜨거워, 자신의 어두운 안경 뒤에서도 그 반짝임이 보일 정도다. 그는 자신의 날카로운 팔꿈치로 주위의 사람이든 뭐든 모두 밀치고 가고 있다. 그래서 그는 대형의, 밝은 창문들이 열 지어 있는 회랑으로 달려가, 천천히 계단 아래로 흩어져가는 인파를 뚫고 갔다.

회랑을 통해 달려가다 그곳에서 그는 뒤를 돌아보았다.

창문 중 하나의 움푹 들어간 모서리에서, 그곳에서 아마 그를 기다리는지 또, 아마 그 인파를 헤쳐 지나갈 길을 만들 용기가 나지 않아서인지, 힘없이 서 있는 누이 요하니노를 발견했다. 그 순간 누이는 회랑 저 끝에 이미 보이는 한 무리의 사람들을 눈으로 따라갔다. 이 무리는 이 도시 어디서나 잘 알려진 여자 2명과 남자 1명이다. 그중 남자는 여성들이 특히 선호하는, 수많은 환자를 진료하는 잘 생긴 유명의사 아다모였다.

엄청 많은 다른 사람처럼 그 의사도 이 흥미로운 재판 과정을 지켜보러 여기에 왔다.

보기엔, 그 의사는 그 재판을 보고는 심각하고 우울한 표정이다.

Tamen, kiam unu el siaj akompanantinoj, altkreska kaj orname vestita fraŭlino, kun rideto lin alparolis, li ankaŭ ekridetis kaj en la komenco de l' ŝtuparo oferis al ŝi sian brakon. Johanino eksentis en tiu-ĉi momento, ke iu kaptas ŝian manon kaj ekvidis Mieĉislaon, kiu klinita super ŝi, rapide kaj mallaŭte ekparolis:

— Iru sola domen. Mi nun ne povas iri kun vi. Mi havas en la urbo urĝajn aferojn. Post kelkaj horoj mi revenos. Iru sola domen.

Li enrigardadis ŝin per siaj fajrigitaj okuloj, kaj forte premante ŝian manon li aldonis:

— Ne timu, nur ne timu⋯ ne.

* * *

그러나 의사 아다모와 함께 왔던 동료 중 키가 크고 화려한 옷을 입은 아가씨가 미소 지으며 그에게 말을 걸자, 그도 미소 지으며, 계단이 시작되는 곳에서 그 아가씨에게 팔을 내밀어, 내려가는 그 아가씨 걸음걸이를 도왔다.

요하니노는, 그 순간, 누군가 자신의 손을 잡는 것을 느꼈다.

오빠였다.

오빠가, 누이 바로 위에서 몸을 굽혀 빠르고 부드럽게 말했다.

"집에 혼자 가. 나는 지금 누이와 함께 갈 수 없어. 시내에 급한 용무가 있거든. 몇 시간 뒤에 집에 들어갈게. 집에 혼자 가."

그는 애타는 듯한 눈길로 누이를 바라보며 누이 손을 세게 잡으며 덧붙였다.

"걱정하지 마, 걱정하지 마… 걱정하지 말아."

* * *

Kelkajn horojn poste Mieĉislao Lipski lacapaŝe supreniris la ŝtuparon de sia loĝejo, malrapide pasis la kuirejon kaj en la apuda ĉambro kun laǔta ĝemo sidiĝis sur la malmola malnovmoda kanapo. Li estis videble lacigita, lia vizaĝo ree havis sian paperan blankecon; kun gesto de enpensiĝo li frotadis per sia blanka longa mano la sulkigitan frunton.

Li tute ne miris, ke li ne vidis Johaninon en la kuirejo. Eble ŝi malsupren iris en la korton aǔ eble la bonkora Rojnovska invitis ŝin por tiu-ĉi tago.

Tamen Johanino estis en la kuirejo, nur ŝi sidis kaŝita post la alta lito en malluma angulo. Vidante la entrantan fraton ŝi ne leviĝis tuj, kiel kutime ŝi faradis por saluti lin kaj demandi, ĉu li ne bezonas ion.

Eble ŝi ne povis tuj elŝiriĝi el sia enpensiĝo aǔ ŝi iom ĉagrenis, ke li tiel longan tempon forestis. Post kelkaj minutoj tamen ŝi leviĝis kaj mallaǔte eniris lian ĉambron.

— Vi do estas! kie Vi estis?

demandis Mieĉislao.

— Mi estis dome, nur Vi min ne rimarkis. Rojnovska estis tie-ĉi kaj invitis min, ke mi iru por la restanta tempo de l' tago al ŝi, sed mi ne volis··· Mi pensis, ke Vi baldaǔ venos··· vi venis tiel mal-frue···

몇 시간 후, 미에치슬라오 립스키는 지친 몸으로 자신의 집으로 향하는 계단을 올라가서 천천히 부엌을 지나, 옆방의 딱딱한 구식 소파에 큰 한숨을 내쉬며 앉았다.

그는 눈에 띄게 피곤했다.

그의 얼굴은 다시 한번 백지장처럼 변해 있다.

그는 뭔가 생각하는 듯 자신의 길고 하얀 손을 주름진 이마에 댔다.

그는 부엌에 누이 요하니노가 있는 것을 보지 못했다는 사실에 전혀 놀라지 않았다.

누이가 마당에 볼일이 보러 내려가 있거나, 친절한 로즈노브스카 부인이 오늘 그녀를 초대했을 수도 있다고 아마 그가 생각했나 보다.

하지만 부엌의 어두컴컴한 구석의 높은 침대 뒤에서 요하니노는 모습을 보이지 않고 숨은 채 혼자 앉아 있다.

오빠가 들어서도, 누이는 평소처럼 오빠에게 인사하고 지금 필요한 것이 있는지를 물어보러 차마 일어나지 못했다.

아마도 그녀는 자기 생각에 골똘해, 곧장 헤어나지 못했을 수도 있고, 오빠가 너무 오랫동안 집에 없어 마음이 약간 상했을 수도 있다.

그러나 몇 분 후 누이는 일어나서 조용히 오빠 방에 들어갔다.

오빠가 물었다.

"어, 누이, 왔구나! 지금까지 어디 있었어?"

"집에 와 있었는데, 오빠만 나를 못 보았지. 로즈노브스카 부인이 여기를 찾아와, 그분이 오늘 하루 자기 집에 가자고 초대했지만, 난 원하지 않았어. 오빠가 곧 올 줄 알았는데.. 너무 늦게 왔네…."

— Aha, malfrue. -murmuris la kancelariisto.

Tia indiferenteco de la frato por ŝia sorto videble pikis ŝian koron.

Ŝi staris kelkajn paŝojn antaŭ li, la manoj kunplektitaj sur la jupo, ŝiaj okuloj malgaje lumis en la mizera vizaĝo.

— Mi pensis, ke Vi volos interparoli kun mi la lastan tagon··· antaŭ la disiĝo···

— Kia lasta tago? Kia disiĝo— ekmurmuris ree la frato.

-Ĉu vi jam estus forgesinta, ke morgaŭ oni min kondukos en malliberejon?

Ŝian vizagon trakuris kelkaj nervaj ektremoj.

Sed baldaŭ ŝi daŭrigis:

— Tri monatoj estas tempo sufiĉe longa··· kaj ankaŭ poste mi plej certe jam ne revenos al vi, sed mi serĉos ian ajn servon··· Ni do devas pensi pri via mastraĵo.

Hodiaŭ vespere mi kunskribos detale Vian vestaron, por ke Vi sciu, kion Vi havas, kaj ne lasu Vin ĉirkaŭŝteli.

La patrinon de Konstanĉjo mi dungos, ke ŝi venadu ĉiutage matene ordigi vian loĝejon kaj pretigi la samovaron.

Dome Vi jam ne manĝados, ĉar kiu nun kuirus por Vi?

"아, 늦었구나." 그 서기가 중얼거리며 말했다.

그녀 운명에 대한 오빠의 그런 무관심은 눈에 띄게 그녀 마음을 아프게 했다.

오빠와는 몇 걸음 앞에 선 누이는, 자신의 치마 위로 두 손을 한데 모은 채, 우울한 표정으로 눈만 빛나고 있다.

"마지막 날… 떠나기 전에 나랑 얘기하고 싶은 줄 알았는데…."

"마지막 날이라니? 떠난다니, 그게 무슨 이야기야?"

오빠는 다시 중얼거렸다.

"내일 내가 감옥 가는 거 벌써 잊었어?"

약간의 긴장된 경련이 누이 얼굴 위로 지나갔다.

그러나 곧 그녀는 계속 말했다:

"3개월은 충분히 긴 시간이라….

또 그게 지나가도 내가 분명 오빠에게 돌아오지 못할 수 있어.

하지만 나는 내가 없을 때를 대비해 뭔가 준비를 해 둬야지…

오빠 걱정을 해야지.

오늘 저녁 나는 오빠가 입을 옷을 자세히 적어 둬야 해.

오빠가 가진 게 무엇인지, 또 도둑맞지 않게 해야지.

또 매일 아침 콘스탄치오 어머니에게 여길 오셔서, 이 집 청소하는 것과 사모바르 주전자에 물도 데워 줄 걸 유료로 부탁해 놓을 거야.

집에서도 오빠는 제대로 먹지 못할 건데, 누가 앞으로 오빠 식사 준비를 해 주겠어?

Sed mi iros por momento al Rojnovska kaj petos ŝin, ĉu ŝi ne volus page donadi al Vi tagmanĝojn. Vi havus ĉe ŝi manĝon pli sanan ol en restoracio··· Memoru ankaŭ sidiĝante vespere por skribi, ke Vi lumigu atente la lampon, ĉar Vi kutimis fari tion ĉi tiel, ke la ĉambro pleniĝas je haladzo, kio tre malutilas Viajn okulojn···

En la provizejo, apud la kuirejo, estas iom da butero, pulvoro kaj faruno, kaj en la kelo estas multe da terpomoj kaj legomoj[11]··· Vi farus bone doni ĉion al Rożnowska, se vi manĝos ĉe ŝi[12]. Ĝi ĉiam ŝparos al vi iom da mono[13]···

Kiam ŝi estis tiel parolanta, Mieĉislao rigardadis ŝin kun stranga esprimo de l' okuloj.

En tiuj ĉi frutempe lacigitaj kaj malsanaj okuloj estis tiom da gajeco kaj samtempe tiom da bedaŭro, ke malfacile estus diri, ĉu li tuj ekridegos aŭ eksploregos. Kiam Johanino finis paroli, li demandis:

— Ĉu Vi finis?

— Jes -ŝi respondis

—Cetere dum la hodiaŭa vespero kaj la morgaŭa mateno eble mi ankoraŭ ion rememoros.

Ne fortirante sian rigardon de ŝi kelkajn sekundojn li balancadis la kapon, kvazaŭ li mirus aŭ dolorus. Poste li komencis paroli per sia naza voco:

---

11) *역주: 이 문장은 폴란드어 원문에서 찾아 기움.
12) *역주: 이 문장은 폴란드어 원문에서 찾아 기움.
13) *역주: 이 문장은 폴란드어 원문에서 찾아 기움.

잠시 로즈노브스카 부인을 만나 뵈러 가서 유료로 점심을 제공해 줄지 물어도 봐야 해. 오빠는 레스토랑에서보다 그분 댁에서 더 좋은 식사를 받을 수 있을 거야…

저녁에 램프 켜고 앉은 채로 오래 필경 작업할 때도 눈을 주의해. 오빠 눈에 매우 해로운 유독가스가 저 램프에 들어 있으니…

부엌 옆 식료품 저장실에는 버터, 가루 또 밀가루가 있고, 창고에는 감자와 채소가 어느 정도 있어. 로즈노브스카 부인 댁에서 식사한다면, 그 모든 것을 그분께 갖다 드려. 그게 절약하는 게 되거든….”

누이가 그렇게 말하고 있을 때, 오빠는 이상한 표정으로 그 누이를 바라보았다.

오빠의 삶의 초반에 생겨버린 쉬 피곤하고 쉬 아픈 눈에는 유쾌함과 동시에 후회스러움의 감정이 교차해, 당장 웃음을 터뜨릴지, 아니면 울음을 터뜨릴지 가늠키 어렵다.

누이가 말을 마치자, 오빠가 물었다.

“그게 다야?”

“그래 다야.” 그녀가 대답했다.

“그런데 오늘 저녁과 내일 아침에 아직도 기억나는 게 더 있을지도 모르겠어.”

그는 몇 초 동안 누이에게서 눈을 떼지 못한 채 놀란 듯, 괴로운 듯 고개를 끄덕였다.

그런 다음 그는 콧소리로 말하기 시작했다.

— Kaj Vi vere povis pensi, ke mi permesos, ke vi iru malliberejon kaj sidu tri monatojn kune kun ŝtelistoj kaj perditaj virinoj en malpureco, en koto?

Nun Johanino forte ekmiris.

— Kiel povas esti alie? Juĝo··· ne protestebla.

— Ĉu vi ne aŭdis: mona puno de ducent rubloj aŭ malliberejo···ducent rubloj··· klare du-cent. Ĉu vi ne aŭdis?

Ŝi ekridetis suprentirante la brakojn.

— O jes, mi aŭdis. Sed tio estas tute egale. Por mi havigi tian sumon estas same, kiel depreni stelon de l' ĉielo; mi eĉ ne ekpensis pri tio.

- Aha! vi ne ekpensis — ekriis la skribisto - kaj ekstariĝinte de l' kanapo li rektiĝis en tuta sia maldikeco kaj alteco kaj larĝe streĉis siajn brakojn, kio donis al li ian similecon al ventmuelilo. Tiel starante kaj movante la brakojn kiel muelilajn radiojn li kriis:

-Vidos Vin la malliberejaj gardistoj same kiel siajn orelojn sen spegulo. Mi kraĉas sur monon tie, kie estas afero de honoro kaj eble de vivo de mia fratino! Bagatelo!

Tri monatoj en malsekaj muroj en malpureco kune kun ŝtelistoj kaj senhontulinoj! Vi estas filino de profesoro, fraŭlino bone edukita. Tial ke ni malriĉiĝis, ni jam devus malpuriĝadi en malliberejo kune kun ŝtelistoj, drinkistoj! ĥa ĥa ĥa! ĥa ĥa ĥa!.

"그리고 누이는 도둑들이나 집 없는 여자들이 가는 감옥에 3개월 동안 앉아 지내도록 내가 내버려 둘 거라고 정말 생각했구나. 저 지저분한 오물과 진흙의 감옥에?"

이제 누이가 매우 놀랐다.

"그렇지 않으면 달리 방법이 있어? 판결이 그렇고… 그에 반대할 수도 없고."

"듣지 못했어? 벌금 200루블, 안 내면 감옥에 가야… 200루블… 분명 200루블이었어. 못 들었어?"

그녀는 어깨를 약간 들면서 웃었다.

"아, 그 말이야 들었지. 하지만 그건 마찬가지야. 나에게 그 큰돈을 구하는 게 하늘에서 별을 따는 것과 같아. 나는 그것은 생각도 못 하지."

"아하! 누이는 그 점도 생각하지 않았네."

그 법원 서기는 웃었다.

그리고 그는 소파에서 일어나, 그의 얇고 키가 큰 몸을 곧게 펴고 팔을 활짝 뻗었다.

그의 그런 모습은 풍차 모습과 약간 비슷했다.

따라서 그렇게 풍차의 날개처럼 선 채로 두 팔을 움직이며 그는 외쳤다:

"감옥 간수들이, 거울 없는 귀처럼, 누이를 지켜볼 거야. 내 누이 명예를, 어쩌면 삶을, 힘들게 하는 그 벌금 낼 큰돈에 침을 뱉고 싶어! 사소한 일인데도! 지저분하고 축축한 사방 벽 안에서 3개월이나 보내게 하다니,
도둑들, 파렴치한 여인들과 함께! 누이는 잘 교육 받았고, 교직자 딸이거든. 우리가 가난하다고 우리를 도둑, 주정뱅이들과 함께 감옥에서 썩게 만드니! 에이! 그렇게는 못하지! 못한다구!

Li ne paŝadis, sed kuradis en la ĉambro, spirante rapide, nerve ridante kaj gestadante. Johanino pro miro larĝe malfermadis la okulojn.

— Sed je Dio! Mieĉislao, kion Vi parolas? El kie Vi prenus tiom da mono? Estas ja neebleco!

Li ekstaris kaj per manplato frapis la tablon.

— Jen mi prenis! Jen mi ricevis! Jen Vi konvinkiĝos, ke mi ne estas tia malpovulo, kia mi ŝajnas esti, kaj ke Vi ne estas jam tiel tute sola en la mondo!

Ŝi eksaltis kaj forte kaptis liajn manojn. Multegaj sentoj skuadis ŝiajn trajtojn: neatendita espero liberiĝi de io, kion ŝi en sekreto de sia animo morte timis, ĝojo, kiun faris al ŝi tiu eksplodo de frata amo, pleje tamen teruro···

— De kie vi prenis tiun-ĉi monon, Mieĉjo! Kiamaniere Vi ricevis tiun-ĉi monon? Kara mia, kion Vi faris?

Li provis liberigi siajn manojn el la ŝiaj, sed ŝi premis ilin ĉiam pli forte.

— De kie mi prenis? Mi ĝin ja ne ŝtelis. Vi bone scias, ke mi ne ŝtelis.

Mi pruntis — kaj finite.

— Vi pruntis! — ekkriis ŝi.

— sed tio-ĉi estas por Vi kompleta ruiniĝo! Kiel Vi povos redoni tiel grandan sumon? Nur se vivante de seka peco da pano! Kaj kiu pruntis al Vi? Riĉajn homojn ni ne konas.

그 오빠는 방안에서 걷지 않고, 빠르게 숨 쉬면서도, 초조하게 웃으며, 온갖 몸짓을 하며 방에서 발을 종종거렸다.

요하니노는 놀라, 자신의 두 눈을 크게 떴다.

"하지만 하나님께 맹세코! 오빠, 오빠는 지금 무슨 소리 하는 거야? 그 큰돈은 어디서 구해? 그것은 실제 불가하다고!"

그는 이제 그 자리에서 멈춰 서서, 손바닥으로 테이블을 쳤다.

"그걸 내가 구했어! 내가 구했다구! 이제 누이는 나를 보이는 것처럼 그렇게 약한 사람이 아닌 걸 알거야. 또 누이는 더는 세상에서 완전히 혼자가 아니라고!"

그녀는 벌떡 일어나 그의 손을 꽉 잡았다.

많은 감정이 그녀 모습을 뒤흔들었다.

영혼의 은밀한 곳에서 그녀가 몹시 두려워했던 것으로부터 해방되리라는 예상치 못한 희망, 형제애의 폭발이 그녀에게 가져다준 기쁨, 그러나 무엇보다도 공포에 휩싸인 감정이다.

"그 큰돈 어디서 났어? 그 큰돈 어떻게 구했냐고? 오빠, 오빠는 무슨 짓을 한 거야?"

오빠가 그녀에게서 손을 떼어내려 했지만, 그녀가 오빠 손을 점점 더 세게 쥐었다.

"어디서 났느냐고? 나는 훔치지 않았어. 내가 그렇지 않다는 걸 누이도 잘 알잖아. 나는 빌렸어. 그게 다야."

"빌렸다고!" 그녀는 소리쳤다.

"하지만 그건 오빠에겐 완전 파멸이라구! 어떻게 그렇게 큰돈 갚을 수 있겠어? 거친 빵 조각으로 우리가 겨우 생활하는데! 그리고 누가 오빠에게 그 큰돈을 빌려줬어? 아는 부자라곤 우리에게 없는데.

Rojnovska estus la unua kiu donus, se ŝi havus, sed ŝi ne havas. Kaj neniu el tiuj malriĉaj homoj havas tiel grandan monsumon! Kiu do pruntis ĝin al Vi? Kiu? Kiu? Kiu?

Kaj tiel longe ŝi persekutis lin per tiu-ĉi urĝa demando kaj penetradis lin per siaj okuloj, ĝis li malvolonte kaj preskaŭ kolere elparolis la nomon de unu el plej konataj en tiu-ĉi urbo procenteguloj.

Johanino rompis la manojn kaj poste per ili kovris sian vizaĝon.

-Dio mia! ŝi diris—Dio! Dio!

Kelkajn minutojn ŝi nenion povis elparoli krom tiu unu vorto. Ŝia malfeliĉa frato pro ŝi, per ŝi fordonadis sin en la manojn de procentegulo, eniradis en abismon de ŝuldoj, ĉagrenoj, mizero··· Ŝi deprenis la manojn de l' okuloj kaj ĉirkaŭprenante lin per la brakoj ŝi komencis petegi lin, ke li permesu al ŝi iri en malliberejon. Ŝi diradis al li, ke ŝi estas sana, forta, juna, kaj povas elteni ĉion, ke estas juste, ke ŝi sola portu la respondecon por sia agado, ke tiu ŝuldo, kiun li faris, centfoje pli ŝin doloras kaj timigas ol tiuj tri monatoj··· tie!

Kaj kiam li neante ĉiam balancadis la kapon kaj kortuŝite sed decidite ripetadis: „Ne, Johanjo, ne! ne! mi ne povas konsenti!"

Ŝi surgenuiĝis kaj ĉirkaŭprenante liajn genuojn per la manoj petegis lin per hajlo de vortoj, kiuj fariĝadis pasiaj krioj:

만일 돈을 빌려준다면, 가장 먼저 빌려줄 수 있는 이는 로즈노브스카 부인인데, 그 부인은 그 돈 주지 않았어. 또 가난한 사람 중에 그렇게 많은 돈을 가진 사람은 아무도 없지! 그럼 누가 빌려줬어? 누구야? 누구야? 누구야?"

그리고 그렇게 오랫동안 그녀는 이 다급한 질문으로 오빠를 추궁했고 자신의 눈으로 오빠를 뚫어지게 보고 있었다.

마침내 그는 마지 못해 거의 화를 내듯이 말했다.

시내에서 가장 잘 알려진 고리대금업자 한 사람 이름을 입에 올렸다.

요하니노는 오빠 손을 놓고, 자신의 손으로 자신의 얼굴을 가렸다.

"하나님!" 그녀는 말했다. "하나님! 하나님!"

몇 분 동안 그녀는 그 한 마디 외에는 아무 말도 할 수 없었다.

누이 때문에, 불행해진 오빠가 고리대금업자 손에 자신을 넘기고, 빚과 슬픔과 비참함의 구렁텅이에 스스로 빠졌다…

누이는 자신의 눈에서 손을 떼어 오빠를 팔로 끌어안고 간청하기 시작했다. -그녀가 감옥에 갈 수 있도록, 또 그녀 자신은 건강하니 또 힘도 세니, 젊으니, 뭐든 견딜 수 있으니, 자신의 행동에 대해 그녀 혼자 책임지는 것은 공평하다고 말했다.

오빠가 얻어 온 그 빚은…그곳!…그곳에서의 3개월보다 백 배나 더 상처 주고, 더 두렵게 만든다고 말했다.

그리고 오빠는, 이를 아니라며, 연이어 고개를 가로저으며 반복해 말하고는, 감동적인 태도로 자신의 결심을 말했다:

"그건 안돼, 누이, 안 돼! 안돼! 나는 동의할 수 없어!"

누이는 무릎을 꿇고, 자신의 두 손으로 오빠 무릎을 붙들고 우박 같은 차가운 말을 열정적으로 또 간청하며 소리쳤다.

Mieĉjo plej kara, permesu, permesu, permesu al mi iri tien kaj la monon redonu al tiu, de kiu vi ĝin prenis⋯ Tuj, tuj portu ĝin al li. Permesu, frateto ora, permesu al mi iri tien.

Ŝi ploris per hajlo de larmoj. Granda, hela harligo devolviĝis de ŝia kapo kaj displektita, malordigita kiel fluaĵo de pala oro surŝutadis la ŝuojn de l' skribisto. Sed li kliniĝinte rapide levis ŝin kaj per siaj longaj malmolaj manoj forte alpremis ŝin al sia brusto.

— Tio jam. mia kara, ne povas esti. Tiun-ĉi monon mi jam ne povas redoni. Ĝi jam estas en la manoj de tiu oficisto, kiu estis venonta morgaŭ matene por konduki Vin en malliberejon.⋯Kaj nun li ne venos, ĥa, ĥa, ĥa!

Lia rido sonis iom malsaĝete, iom nerve kiel strange intermiksitaj triumfo kaj maldolĉeco. Ŝi mallaŭte, profunde ploris sur lia brusto. Ĝi fariĝis. Tial li kelkajn horojn ne revenadis hejmen, ĉar li klopodadis monon kaj portis ĝin al tiu, al kiu tio-ĉi apartenis. —Dankemo senlima, ĝojo pro liberiĝo, kompato kun la frato kaj timo pro lia estonteco movigadis profunde la knabinon skuatan de la teruraj impresoj de tiu-ĉi tago.

Ŝi ne povis paroli, sed nur el tuta forto alpremiĝadis al la brusto de tiu-ĉi stranga junulo, kiu ŝajnis tiel turmentita kaj apatia, indiferenta,kaj nun⋯

"제발 오빠, 허락해 줘, 내게 허락해 줘. 내가 거기 가서 오빠에게 그 돈 빌려준 사람에게 그 돈 돌려줄 수 있게 허락해 줘… 지금 즉시, 즉시 그 돈을 그 사람에게 돌려주러 가자."

그녀는 우박같이 차가운 눈물을 흘리며 울었다.

묶어 놓았던 크고 밝은 머리카락이 그녀 머리에서 풀려 연한 금빛 물결처럼 무질서하여, 서기로 일하는 오빠의 신발 위를 덮었다.

그러자 오빠가 자신의 몸을 굽혀 재빨리 누이를 들어 올려, 길고 단단한 손으로 그 누이를 자신의 품에 꼭 안았다.

"그건. 누이, 이젠 어쩔 수 없어. 그 돈, 이젠 돌려줄 수 없어. 그것은 이미 누이를 감옥에 데려가려 내일 아침에 우리 집에 올 예정이었던 그 집달관, 그 집달관 손에 들어갔어…이제 그 사람은 내일 우리 집에는 안 올 거야, 카ㅡ, 하ㅡ, 어쩔 수 없다고!"

그의 웃음소리는 승리와 괴로움이 이상하게 뒤섞인 것처럼 좀 어리석고 좀 초조하게 들렸다.

그녀는 오빠 품에 안긴 채 깊고 서럽게 울었다. 그것은 그리 되었다.

그 때문에 그는 몇 시간 동안 집에 돌아오지도 못했다.

돈을 구하는 일에 애 많이 쓰고, 또 그렇게 구한 돈을 지금은 그 집달관에게 가져갔기 때문이었다.

오늘의 연이은 끔찍한 상황에 빠진 아가씨를 깊이 흔들어 놓은 것은 무한한 고마움, 해방된 기쁨, 오빠에 대한 동정심, 그리고 오빠의 미래에 대한 걱정이다.

말을 더는 못 잇는 그녀는 오빠를, 늘 고통을 참고 냉담하고 무관심하다고 여긴 오빠를, 지금… 이렇게 이상한 행동을 한 청년을 그녀 자신의 온 힘으로 세게 파고들 뿐…

Ŝi alpremis la lipojn al sia mano kaj mallaŭte diris:

— Estu do kiel vi volis.

Mieĉislao lacigita kuŝiĝis sur la kanapo post la tablo kovrita de kancelariaj paperoj. Johanino reiris kuirejon por pretigi vespermanĝon.

Ŝi plenigis la samovaron per akvo kaj staris momenton senmove. Poste ŝi prenis karbon el la forno kaj ĵetinte ĝin en la samovaron, ŝi ree malsupren lasis la manojn kaj ekstaris rekta, rigida rigardante per glasaj okuloj la ŝrankon starantan ĉe l' muro. Tiu-ĉi meblo videble memorigis ŝin pri io, ĉar ŝi alpaŝis ĝin kaj komencis preni el ĝi glasojn kaj kuleretojn.

Sed tiuj-ĉi du lastaj elfalis el ŝiaj manoj sur la plankon kaj ŝi anstataŭ levi ilin kaptis trancĉilon kaj panbulkon. Ŝiaj movoj estis rapidaj kaj malegalaj intermomente haltigitaj per neforpuŝebla enpensiĝo. Fine tranĉilon kaj panon ŝi ĵetis sur la tablon kaj kovrante la vizaĝon per la manoj kaj alpremante la frunton kontraŭ la pordeto de l' ŝranko ŝi fortege ekploris. Kion ŝi nun faros? Kia estos nun lia estonteco? O! terura malpleneco de ŝia vivo kaj pli teruraj ankoraŭ liaj zorgoj, ĉagrenoj, ruino! Ŝi sufokis la ploron, kaj ĉesis plori.

Ŝi timis, ke ŝia ploro estu aŭdata en la apuda ĉambro, kaj ĉesis plori. Sed ŝi neniel povis labori, vere neniel.

요하니노는 자신의 손을 자신의 입술에 대고 부드럽게 말했다.

"그럼, 오빠가 하고 싶은 대로 해요."

지친 오빠는 법원 서류가 놓인 테이블 뒤의 소파에 눕는다.

요하니노는 저녁 준비하러 부엌으로 돌아갔다.

그녀는 러시아식 주전자 사모바르에 물을 가득 채우고, 잠시 가만히 섰다.

그러고는 그녀는 벽난로 곁의 석탄 몇 개를 사모바르 주전자 아래로 넣은 뒤, 다시 손을 내리고 멍한 눈으로 꼿꼿이 선 채 벽 앞에 둔 찬장을 바라본다.

이 가구가 필시 그녀에게 무언가 생각나게 했나 보다.

그녀가 그 찬장으로 다가가, 찬장에서 글라스와 숟가락을 꺼내기 시작했다.

그러나 그 두 가지가 그녀 손에서 바닥으로 미끄러졌다.

그녀는 그것들을 집지 않고 칼과 빵을 집어 들었다.

그녀는 허둥댔고, 저항할 수 없는 생각에 잠시 멈춰 섰다.

마침내 그녀는 칼과 빵을 탁자 위에 내던지고는, 두 손으로 얼굴을 가리고 찬장 문에 이마를 대고 하염없이 울기 시작했다.

이제 그녀는 무엇을 할 것인가?

이제 저 오빠 미래는 어떻게 될까?

아! 그녀 삶에 대한 공포는 끔찍하다.

오빠에 대한 걱정과 슬픔, 파멸은 더욱 끔찍하다!

그녀는 울음을 겨우 참고 울음도 멈췄다.

그녀는 자신의 울음소리가 옆방에 들릴까 봐 두려웠기 때문이다. 하지만 그녀에겐 살아갈 방도가 전혀 없다. 정말 아무 방도가 없다.

Ŝi bezonis pensi, pensi, pensi, kaj per tiuj pensoj konsumi la propran koron.

Ŝi sidiĝis sur la benko apud la fenestro kaj pensadis. Ŝia rigida rigardo eraradis post la vitroj vidante nenion krom kelkaj nigraj malbelaj tegmentoj kaj peco da ĉielo kovrita per grasa fumo supreniranta el la kamenoj. Estis en tiu-ĉi vido nenia distriĝo, nenia konsolo; do ankaŭ la mieno de Johanino fariĝadis pli kaj pli malĝoja. Ŝiaj larmoj sekiĝis, sed la palan ordinare vizaĝkoloron kovris nuanco de malagrabla flaveco, kaj ŝian senkoloriĝintan buŝon unuafoje en ŝia vivo trakuris akra kolera rideto.

Tiam la pordo de l' kuirejo ekkraketis kaj eniris[14] du infanoj. Estis la granda Kosĉio en sia vesto el dika tolo, nudpieda, kurbiĝanta kaj kondukanta per mano la malgrandan grasetan Manjon, rapide paŝetantan per siaj ankaŭ nudaj piedoj elstarantaj ĝis la genuoj el sub la senkoloriĝinta jupeto.

Pasis apenaŭ kelkaj sekundoj kaj la knabo, timeme kaj kun ia malĝoja sentemeco rigardante el sub la brovoj, surgenuiĝis antaŭ Johanino, kaj la knabineto, movetante la piedojn kaj la manojn kun mallaŭta rideto eksaltis sur ŝiajn genuojn. Ĉe la piedoj de Johanino kuŝis bukedo de siringo, kiu ĵus estis floranta kaj de kiu sufiĉe grandan faskon deŝiris la filo de l' seruristo, certe en ies ĝardeno,

---

14) *역주: 에스페란토 문장에는 'entris' 였으나, 'eniris' 로 바꿈.

요하니노는 생각하고, 생각하고, 또 생각했다.

그 생각으로 자신의 마음을 소모해야 했다.

그녀는 창가 벤치에 앉아 생각했다.

그녀의 경직된 눈은 창문 뒤를 넘어, 몇 개의 누추한 가옥 지붕과 그 가옥들의 벽난로에서 올라가는 짙은 연기로 뒤덮인 하늘 조각 외에는 아무것도 보지 못했다.

이 광경은 어떤 즐거움도 어떤 위로도 되지 못했다.

요하니노 표정도 점점 더 슬프게 변했다.

그녀 눈물은 말랐지만, 평소의 창백한 얼굴색을 덮은 것은 불쾌한 누런 색조의 기분이다.

처음으로 색이 바랜 그녀 입가에 날카로운 분노의 쓴웃음이 스쳤다.

바로 그때, 부엌문이 삐걱하며 열리더니 아이 둘이 들어섰다.

두꺼운 리넨 옷을 입은 덩치 큰 코스타치오가 맨발로 몸을 굽힌 채로 들어섰다.

코스타치오는 살찐 아이 마뇨의 손을 잡고 들어섰다.

그러고는 낡은 치마 아래 무릎까지 맨발인 마뇨가 요하니노에게 황급히 달려왔다.

몇 초도 지나지 않아, 소년이 눈썹 밑으로 소심하고 슬픈 표정으로 요하니노 앞에 무릎 꿇었다.

살짝 웃는 마뇨는 요하니노 무릎에 덥석 안겼다.

요하니노 발치에 라일락 꽃다발이 놓여 있다.

꽃다발은 이제 막 피어난 꽃으로 자물쇠 제조공의 아들 코스타치오가 필시 인근 정원에 핀 꽃을 꺾어 상당히 큰 묶음으로 만들어 온 것이다.

kaj senvorte metis tie-ĉi sur la plankon. Forta odoro de tiu printempa, neĝblanka floro plenigis la kuirejon. Kaj Kosĉio, ĉiam kun la sama rigardo kvazaŭ de besteto sindona kaj timema, rigardante ŝin el sub la brovoj eltiris kajeron kaj malferminte ĝin komencis malrapide legi: Mal-la-bor-em-ec-o est-as la patr-o de ĉiu-j pek-o-j.

Frumatena laboro rekompencas per oro. Kaj la malgranda Manjo ankaŭ eltiris malnovan alfabetlibron, malpurigitan, ĉifitan kaj malfermante ĝin sur tiu paĝo, kie estis la alfabeto, komencis: A — B — C···

Johanino mallaŭte ekridetis kaj kisis la sulkitan frunton de l' knabo kaj la ruĝan vangon de l' knabino.

Ili tre ekĝojiĝis pro tio, kaj tiel fariĝis malgranda brueto. El la apuda ĉambro naza dormema voĉo demandis:

Kiu estas tie Johanjo? Kun kiu Vi parolas?

Johanino ekruĝiĝis kaj per voĉo tremanta respondis.

— Infanoj..,

— Infanoj! — ekkriis Mieĉislao kaj tuj ekstaris sur la sojlo. Sur liaj vangoj ree aperis ruĝaj makuloj kaj la okuloj ekflamiĝis, sed tiufoje je kolero. Propre dirite tio estis kolero kaŭzata de timo, kiu klare pentriĝis sur lia vizaĝo, staturo kaj movoj.

Ree infanoj! li ripetis per voĉo altigita:

그는 조용히 요하니노 부엌에 그 꽃다발을 놔두었다.

봄의 강한 향기가, 눈처럼 순백의 꽃이 부엌을 가득 채웠다. 그러고는, 늘 헌신적이나 두려운 작은 동물의 눈처럼 코스타치오는 그런 표정으로 요하니노를 눈썹 아래서 바라보고는, 알파벳 책을 꺼내, 천천히 읽기 시작했다:

"게-으-름-은 모-든 죄-악-의 아-버-지-입-니-다. 아-침 일-찍 일-어-나 일-하-면 하-나-님-께-서 황-금-으-로 보-답-하-십-니-다.15)"

그리고 꼬마 마뇨도 낡은 알파벳 책을 꺼내 한 페이지를 펼쳤다. 그 페이지에서 읽기 시작했다:

"아 - 보 - 쪼16)…."

요하니노가 부드럽게 미소 짓고는 소년의 주름진 이마와, 마뇨의 붉은 볼에 키스했다.

그들이 그렇게 큰 기쁨을 주고받는 바람에, 약간 큰 소리가 났다.

옆방에서 콧소리의, 졸린 목소리가 들려왔다.

"거기 누이, 누가 왔어? 누이는 누구랑 이야기하고 있어?"

요하니노는 깜짝 놀라 얼굴을 붉히며 목소리를 떨며 답했다.

"꼬맹이들."

"꼬맹이들이라니!"

미에치슬라오가 외치며 즉시 문턱에 모습을 보였다.

다시 볼에 붉은 반점이 생기고 눈이 번쩍 뜨였지만, 이번에는 분노였다. 직설적으로 말하면, 그것은 두려움으로 인한 분노였다. 분노가 그의 얼굴과 몸, 몸짓에 선명하게 그려졌다.

그는 큰 소리로 되풀이해 말했다:

---

15) *역주: 누구든지 아침에 일어나는 자에게는 주 하나님께서 주신다…
일찍 시작하면 더 많은 것을 얻을 수 있다는 폴란드 속담(Kto rano wstaje, temu Pan Bóg daje.)

16) *역주: 폴란드어 읽기: 아(A)…베(B)…체(C).

—Ĉu mi devas tute perei per tiuj malbenitaj infanaĉoj? Ĉu ne sufiĉe jam estis da mizero? Eble mi devas ankoraŭ perdi mian oficon kaj lastan pecon da pano? Li gestadis kolere. La timo donis al lia voĉo neatenditan forton. Preskaŭ terure li ekkriis:

— For de tie-ĉi malgranduloj!

Ke de hodiaŭ Via piedo ne ekstaru ĉi-tie; ĉar se mi vin ankoraŭ ekvidos ĉi-tie, vi ricevos baton. For! Iru for.

La geknaboj malaperis. Johanino eklumigis la. lampon, pretigis la teon kaj kune kun bulko sur telero portis ĝin al la frato, kiu jam diligente estis skribanta. Ĉiutage li pasigadis sur tia skribado longajn horojn tiel en la oficejo kiel ankaŭ dome.

Metinte teleron kaj glason sur la tablon ŝi kliniĝis kaj kisis la klinitan super la paperoj kapon de la frato. Oh! Eĉ la plej malgrandan koleron ŝi ne sentis kontraŭ li. Li estis prava tiel agi. Ŝi nur sentis, pensis, ke ŝi ree necese devas ion komenci kun si, plej baldaŭ!

Dume ŝi sidiĝis en la kuirejo kaj komencis brodi sur nova naztuko la monogramon de Mieĉislao.

La siringo, kiun alportis Kosĉio, plenigadis la kuirejon per malsobriganta odoro; la samovaro staranta ĉe l' forno zumis kaj vaporis, el malsupre, el sub la planko oni povis aŭdi surdajn bruetojn interrompatajn de tempo al tempo per frapo de ia renversata meblo aŭ per disputema aŭ diboĉa krio.

"또 그 꼬맹이들이야! 내가 재들 때문에 완전히 망가져야 해? 이 비참한 상황으로 충분하지 않았어? 이젠 내 일터도 잃고, 마지막 빵 조각마저 잃어버려야 해?"

그는 화가 나서 손짓했다. 두려움은 그의 목소리에 예상치 못한 힘을 주었고, 무섭게도 그는 외쳤다.

"여기 이 꼬맹이들, 돌려보내! 그리고 오늘부터 너희들은 발도 여기 들여놓지 마. 내가 여기서 다시 너희를 만나면 너희를 때려 줄 테다. 가라고! 집에 가."

아이들은 사라졌다.

요하니노가 램프를 켜고, 차를 준비한 다음, 접시에 담은 빵과 함께 이미 부지런히 글을 쓰고 있는 오빠에게 가져갔다.

매일 그는 자신의 사무실과 집에서 그러한 글쓰기에 오랜 시간을 보낸다. 요하니노는 오빠 탁자에 빵 접시와 글라스를 놓은 후, 몸을 굽히고는, 종이 위로 몸을 숙인 채 일하고 있는 오빠 머리에 키스했다.

아! 누이는 이젠 오빠에게서 전혀 화난 기분을 느낄 수 없다. 오빠가 그렇게 화난 행동을 하는 것은 옳다. 그녀 자신은 가능한 한 빨리 다시 뭔가를 시작해야 한다고 느꼈고 생각했다!

한동안 요하니노는 부엌에 앉아, 새 손수건에 오빠 미에치슬라오를 위한 모노그램17)*을 수놓기 시작했다.

코스타치오가 가져온 라일락 향기가 부엌을 짙게 가득 채웠다. 벽난로에서 끓고 있는 주전자 사모바르는 슉-슉-거리며 증기를 내뿜는다.

이 건물 저 아래, 바닥 저 아래서 때로 가구가 뒤집혀 부딪힘으로 또는 다툼으로 또는 방탕한 소리로 귀를 멎게 할 정도의 소음이 들려온다.

---

17) *역주: 2개 이상의 문자를 합쳐 하나의 글자처럼 만든 문양이나 표지

La drinkejo komencis sian noktan subteran vivon.

Sed kio tie ekmoviĝis post la lito kaj el krepusko malalte ĉe l' tero komencis elŝoviĝi maldistingebla? besteto? infano? Iaj du manetoj apogadis sin sur la planko, iaj helaj haroj ekbriletis ore antaŭ la malpura muro, ia paro da okuloj eklumis per klara lazuro··· Estis infano, kiu kelkajn sekundojn, mallaŭte, rampante kiel kvarpiedulo subite kun eksplodo de rido eksaltis sur la genuojn de l' rigidita en sia malĝojo knabino.

La granda Kosĉio estis forkurinta, sed la malgranda Manjo kaŝis sin post la lito kaj atendis, ĝis kiam la sinjoro ĉesos koleri kaj krii. Ŝi pasigos tie-ĉi la nokton, kiel ŝi jam faris multfoje, kaj nun ŝi volas iom legi en sia alfabetlibro, montri kion ŝi jam scias··· Ĉion de a ĝis p···de p ŝi ne scias, sed „hieraŭ" ŝi lernos. Certe ŝi volis diri „morgaŭ" kaj diris „hieraŭ", sed tio ne malhelpas! Johanino ree kisis ŝin kaj demandis, ĉu ŝiaj gepatroj scias, ke ŝi intencas pasigi la nokton tie-ĉi.

El la apuda ĉambro eksonis demando:

-Kiu ree tie? Kun kiu Vi, parolas, Johanjo?

Mallaŭte, konsternita respondis Johanino:

-Estas la malgranda Manjo··· Ĉu mi devas diri al ŝi, ke ŝi iru for?

En la apuda ĉambro longan minuton daŭris silento, fine naza voĉo vira elparolis:

— Donu al ŝi iom da teo.

술집은 밤의 지하 생활이 이 시각에 시작되었다.

그런데 뭔가 침대 뒤에서 움직이기 시작했고, 뭔가 땅바닥의 낮은 곳에서, 황혼 속에 구분이 안 될 정도로 모습을 내민다.

무엇인가? 애완동물인가? 아이인가?

뭔가 바닥을 뭔가 두 개의 작은 손으로 짚고, 허름한 벽 앞에 금빛의 밝은 머리카락이 반짝이고, 뭔가 한 쌍의 눈이 맑은 하늘색으로 빛났다… 뭔가 몇 초 동안 네 발 달린 동물처럼 살며시 기어 다니다가 갑자기 웃음을 터뜨리며, 슬픔에 잠긴 아가씨 무릎 위로 뛰어올랐다. - 아이였다.

덩치 큰 코스타치오는 내뺐지만, 꼬맹이 마뇨는 침대 뒤에 숨어, 그 오빠가 화냄도, 고함도 멈출 때까지 기다렸다.

이 아이는 이전에 여러 번 그랬던 것처럼 오늘 밤 여기서 지낼 것이다.

지금 이 아이는 자신의 알파벳 책을 조금 더 읽어 보고 싶고, 자신이 이미 알고 있음도 보여주고 싶다… A에서 P까지의 글자는 이 아이가 알지만…P부터는 아직 배우지 않아 모른다. 하지만 **"어제"** 이 아이는 배울 것이다. 분명 아이는 **"내일"**이라는 말을 하고 싶었는데, 그만 **""어제"** 라고 잘못 표현했다. 하지만 그게 배움에 방해되지 않는다!

요하니노는 그 아이에게 다시 입 맞추고, 아이가 오늘 여기서 자고 가는 걸 부모님이 아는지를 묻는다.

옆방에서 질문이 있다:

"또 거기 누가 있어? 누구랑 얘기하는 거야, 누이?"

당황한 요하니노가 답했다.

"꼬맹이 마뇨… 이 아이더러 가라고 할까?"

옆방에서 침묵이 몇 분 동안 흘렀고, 마침내 콧소리의 남자 목소리가 들려왔다.

"그 꼬맹이에게 차나 좀 내어 줘요."

Malsupre sub la planko ree io laŭte ekfrapis, kaj fariĝis intermiksita bruo. Ĉu tie ia drinkulo renversiĝis kaj frapis benkrandon per sia kapo? Ĉu homo levis pugnon kontraŭ homo tiel forte, ke li ĵetis lin teren, sur la plankon kovritan per malpuraĵo kaj superververŝitan per drinkaĵo? Eble per tia bruo ekboliĝis tie sensenca, diboĉa amuzaĵo?

Super la maldeca bruo de l' drinkejo, en la kuirejo lumigata per malgranda lampo kaj plenigita de odoro de l' siringo, la pala knabino kun vizaĝo laca kaj okuloj ploraj tenis sur la genuoj nudpiedan grasetan ridantan infanon. El sub la senkoloriĝinta vesteto la ruĝa infana maneto ree eltiris la ĉifitan alfabetlibron kaj la arĝenta voĉeto eksonoris per longa petola rido.

El la apudaĉambro audiĝis malkontenta siblo:

-Si - len - tu!

-Si-len-tu. Ripetis Johanino klinita super la infano. La malgrandulino sufokis la arĝentan sonoron de sia voĉo kaj per mallonga fingreto frapante ĉian literon mallaŭtege, apenaŭ aŭdeble legis: A···B···C··· (Fino)

건물 저 아래쪽에서 무언가가 다시 큰 소리를 내며 들려왔다.

저기서 술 취한 사람이 넘어져 벤치 모서리에 머리를 부딪쳤을까?

손님이 다른 손님에게 주먹을 세게 휘둘러, 지저분한 바닥에, 술을 쏟은 바닥에 내동댕이쳤을까?

그 소동에 이어, 무의미하고 무절제한 즐거움도 끊기 시작하는 걸까?

술집에서의 요란한 소음 저위로 라일락 향기 물씬 풍기는, 작은 램프 등이 켜진 부엌에 피곤하고 창백한 표정의 눈물 어린 아가씨가 맨발의 살찐, 웃고 있는 아이를 자신의 무릎에 안고 있다.

색 바랜 작은 드레스 안에서 아이가 자신의 붉은 손으로 구겨진 알파벳 책을 다시 꺼내 든다.

작고 은은한 목소리가 장난기 어린 웃음과 함께 길게 울려 퍼졌다.

옆방에서 불만 섞인 목소리가 들렸다:

"조- 용 - 하- 자!"

요하니노가 아이 위로 몸을 구부리며 되풀이했다.

"조 -용 - 하 -자!"

아이는 자신의 은은한 목소리를 입 밖으로 내지 못하고 삼키고는 작은 손가락으로 글자 하나하나를 두드리며, 들릴 듯 말듯 작은 소리로 읽어 내려간다:

"아···보···쪼···18) " (끝)

---

18) *역주: 폴란드어 읽기: 아(A)···베(B)···체(C).

서평 자료

엘리자 오제슈코바(Eliza Orzeszko (Orzeszkowa))의 단편 소설 『A⋯B⋯C..』(1888)은 단편작품집 『W zimowy wieczór』(겨울저녁에)에 실린 작품 중 하나입니다.

"이 작품은 옛 러시아 분할 지역에 살아온 폴란드인 노년층에게는 너무나 생생하게 기억하는 현실에 바탕을 두고 있습니다. 교습소를 열어 어린아이들을 가르쳤다는 혐의로 기소되어 실형을 선고받은 요하니노 립스카(Johanino Lipska) 사례는 러시아 제국이 점령한 폴란드 땅 어디에서도 폴란드어로 폴란드어를 가르치는 것이, 심지어 알파벳까지 가르치는 것이 금지된 지난 시대를 상기시켜 줍니다. 당시 폴란드어를 가르친 사람들에게 박해와 가혹한 처벌이 있었음을 이 작품은 고발하고 있습니다."
　　　　　　　　-폴란드어 작품의 원문 홈페이지 도입부에서[19]

---

19) *역주:
https://wolnelektury.pl/media/book/pdf/orzeszkowa-abc.pdf

우리말 역자의 후기

울 밑에 선 봉선화야
네 모양이 처량하다
길고 긴 날 여름철에
아름답게 꽃필 적에
어여쁘신 아가씨들
너를 반겨 놀았도다
  -김형준 작사, 홍난파 작곡의 가곡 「봉숭아」(1920).

2024년 새해 들어, 폴란드 작가 오제슈코바의 여러 단편 작품을 읽었습니다. 이번 번역작품으로 이 작가의 명작 『아보쪼 A…B…C…』를 소개합니다.

역자는 오제슈코바의 장편 소설 『마르타 Marta』(산지니 출판사, 2016년) 작품을 먼저 읽으면서 19세기 후반의 근대 폴란드 여성의 삶이 얼마나 어려운지를 잘 알게 되었습니다.

『아보쪼 A…B…C…』는 나라를 잃은 설움 속에, 온 나라가 제국의 언어 러시아어를 배워 쓰도록 강요받은 국민에게 자신들의 국어 폴란드어를 널리 배워 쓰도록 하려는 폴란드 문학의 힘을 느낄 수 있는 작품입니다.

한편으로 이 작품은 발표된 지 47년 뒤, 우리나라가 일제 강점기의 동아일보에 실린 심훈의 『상록수』 작품을 떠올리게 합니다.

『상록수』는, 잘 아시다시피, 우리나라 일제 강점기 한글 문자 보급 운동과 농촌 계몽운동을 했던 1930년대를 잘 나타내 주고 있습니다. 당시 상황을 평가하는 글을 소개합니다.

"신문사의 이와 같은 문자 보급 운동, 농촌 계몽운동 노력을 반영한 문학작품이 신문에 많이 실렸는데, 가장 대표적인 것이 심훈의 『상록수』(1935. 9. 10.~1936. 2. 15. 연재)이다. 이 소설은 동아일보사가 창간 15주년을 기념한 공모에서 당선된 장편소설인데 문자 보급 운동이 소재가 된 소설이다." [20]

『아보쪼 A···B···C···』는 『상록수』가 발표되기 47년 전, 1888년 작가의 단편소설집 『W zimowy wieczór(겨울저녁에)』 속에 〈A···B···C···〉 제목으로 실렸습니다. 이 작품은 1909년 폴란드 에스페란티스토인 프란치스크 엔데르(Franciszek ENDER: 1858-1939)에 의해 에스페란토로 번역되어 발간되었습니다.

제 나라에서 제 나라말로 소통하는 사회야말로 독립국이라 할 수 있습니다.

오늘날 폴란드인도 즐겨 읽는 고전이 된 이 작품은 역자에게는 서양에서 배우는 독립정신, 애국정신, 국어 사랑 정신이 깃든 작품입니다. 이 번역작품이 폴란드를 이해하는 단서가 되기를 역자는 희망합니다.

혹시 이 작품의 독후감을 보내시려는 독자가 있다면, 역자 이메일(suflora@daum.net)로 보내주시면, 기꺼이 읽겠습니다.

역자의 번역 작업을 옆에서 묵묵히 지켜주는 가족에게 감사하며, 오제슈코바 작가의 에스페란토로 번역된 단편 작품들-『중단된 멜로디』, 『선한 부인 & 전설』과 『아보쪼 A···B···C···』-중 마지막 작품을 소개해 주는 진달래출판사에도 고마움을 전합니다.

-2024년 3월 8일 밤···.
세계여성의 날에 장정렬 씀

---

20) *역주: 국사편찬위원회 홈페이지(http://contents.history.go.kr/) 인용.

편집실에서

노벨문학상 후보에 오른 폴란드의 유명한 작가 엘리자 오제슈코바의 장편소설 『마르타 Marta』가 산지니 출판사에서 출간되었고, 이후 실력있는 에스페란티스토 Kabe가 작가의 소설 『중단된 멜로디 La Interrompita Kanto』, 『선한 부인 Bona Sinjorino & 전설 Legendo』을 에스페란토로 훌륭하게 번역한 것을 장정렬 선생님이 에스페란토에서 우리말로 번역, 진달래 출판사에서 출간했습니다.

이번에는 같은 작가가 쓴 단편소설 『아보쪼 A…B…C…』를 프란치스크 엔데르가 에스페란토로 번역하였고 장정렬 선생님이 우리말로 번역하여 에스페란토-한글 대역본으로 소개합니다.

이 책은 1930년대 우리나라 일제 강점기 때 브나로드 운동이라고 해서 농촌봉사 활동으로 대학생들이 여름방학이나 겨울방학 일부를 할애하여 한글 강습회 등을 실시한 것과 비슷한 이야기를 소재로 삼고 있습니다. 즉 어린아이들을 가르쳤다는 혐의로 기소되어 실형을 선고받은 요하니노 립스카(Johanino Lipska) 사례는 러시아 제국이 점령한 폴란드 땅 어디에서도 폴란드어로 폴란드어를 가르치는 것이, 심지어 알파벳까지 가르치는 것이 금지된 지난 시대를 상기시켜 줍니다. 당시 폴란드어를 가르친 사람들에게 박해와 가혹한 처벌이 있었음을 이 작품은 고발하고 있습니다. 언어의 소중함을 깨달으면서 '일민족 이언어주의'로 에스페란토가 반드시 필요함을 느낄 수 있을 겁니다. 이 책을 통해 에스페란토 학습에도 도움이 되길 바랍니다.

- 진달래 출판사 대표 오태영

〖 진달래 출판사 간행목록 〗

율리안 모데스트의 에스페란토 원작 소설
- 에한대역본
  『바다별』 (단편 소설집, 오태영 옮김)
  『사랑과 증오』 (추리 소설, 오태영 옮김)
  『꿈의 사냥꾼』 (단편 소설집, 오태영 옮김)
  『내 목소리를 잊지 마세요』 (애정 소설, 오태영 옮김)
  『살인경고』 (추리소설, 오태영 옮김)
  『상어와 함께 춤을』 (단편 소설집, 오태영 옮김)
  『수수께끼의 보물』 (청소년 모험소설, 오태영 옮김)
  『고요한 아침』 (추리소설, 오태영 옮김)
  『공원에서의 살인』 (추리소설, 오태영 옮김)
  『철(鐵) 새』 (단편 소설집, 오태영 옮김)
  『인생의 오솔길을 지나』 (장편소설, 오태영 옮김)
  『5월 비』 (장편소설, 오태영 옮김)
  『브라운 박사는 우리 안에 산다』 (희곡집, 오태영 옮김)
  『신비로운 빛』 (단편 소설집, 오태영 옮김)
  『살인자를 찾지 마라』 (추리소설, 오태영 옮김)
  『황금의 포세이돈』 (장편 소설집, 오태영 옮김)
  『세기의 발명』 (희곡집, 오태영 옮김)
  『꿈속에서 헤매기』 (단편 소설집, 오태영 옮김)
  『욤보르와 미키의 모험』 (동화책, 장정렬 옮김)

- 한글본
  『상어와 함께 춤을 추는 철새』(단편소설집, 오태영 옮김)
  『바다별에서 꿈의 사냥꾼을 만나다』(단편집, 오태영 옮김)
  『바다별』(단편소설집, 오태영 옮김)
  『꿈의 사냥꾼』(단편소설집, 오태영 옮김)

클로드 피롱의 에스페란토 원작 소설
- 에한대역본
  『게르다가 사라졌다』(추리소설, 오태영 옮김)
  『백작 부인의 납치』(추리소설, 오태영 옮김)

장정렬 번역가의 에스페란토 번역서
- 에한대역본
  『파드마, 갠지스 강가의 어린 무용수』(Tibor Sekelj 지음)
  『테무친 대초원의 아들』(Tibor Sekelj 지음)
  『대통령의 방문』(예지 자비에이스키 지음)
  『국제어 에스페란토』(D-ro Esperanto 지음, 이영구. 장정렬 공역, 진달래 출판사, 2021년)
  『황금 화살』(ELEK BENEDEK 지음)
  『알기쉽도록 <육조단경> 에스페란토-한글풀이로 읽다』(혜능 지음, 왕숭방 에스페란토 옮김, 장정렬 에스페란토에서 옮김)
  『침실에서 들려주는 이야기』(Antoaneta Klobučar 지음, Davor Klobučar 에스페란토 역)
  『공포의 삼 남매』(Antoaneta Klobûar 지음, Davor Klobûar 에스페란토 역)
  『우리 할머니의 동화』(Hasan Jakub Hasan 지음)
  『얌부르그에는 총성이 울리지 않는다』(Mikaelo Brostejn)
  『청년운동의 전설』(Mikaelo Brostejn 지음)

『푸른 가슴에 희망을』(Julio Baghy 지음)

『반려 고양이 플로로』(크리스티나 코즈로브스카 지음,
페트로 팔리보다 에스페란토 옮김)

『민영화도시 고블린스크』(Mikaelo Brostejn 지음)

『마술사』(크리스티나 코즈로브스카 지음, 페트로 팔리
보다 에스페란토 옮김)

『세계인과 함께 읽는 님의 침묵』(한용운 지음)

『세계인과 함께 읽는 윤동주시집』(윤동주 지음)

『중단된 멜로디』(엘리자 오제슈코바 지음)

- 한글본

『크로아티아 전쟁체험기』(Spomenka Ŝtimec 지음)

『사랑과 죽음의 마지막 다리에 선 유럽 배우 틸라』(상동)

『상징주의 화가 호들러의 삶을 뒤쫓아』(상동)

『희생자』(Julio Baghy 지음)

『피어린 땅에서』(Julio Baghy 지음)

『무엇때문에』(Friedrich Wilhelm ELLERSIE 지음)

『밤은 천천히 흐른다』(이스트반 네메레 지음)

『살모사들의 둥지』(이스트반 네메레 지음)

『메타 스텔라에서 테라를 찾아 항해하다』(이스트반 네메레)

『파드마, 갠지스 강의 무용수』(Tibor Sekelj 지음)

『대초원의 황제 테무친』(Tibor Sekelj 지음)

이낙기 번역가의 에스페란토 번역서
- 에한대역본

『오가이 단편선집』(모리 오가이 지음, 데루오 미카미
외 3인 에스페란토 옮김)

『체르노빌1, 2』(유리 셰르바크 지음)

기타 에스페란토 관련 책(에한대역본)

『에스페란토 직독직해 어린 왕자』(생 텍쥐페리 지음, 피에르 들레르 에스페란토 옮김, 오태영 옮김)

『에스페란토와 함께 읽는 이방인』(알베르 카뮈 지음, 미셸 뒤 고니나즈 에스페란토 옮김, 오태영 옮김)

『자멘호프 연설문집』(자멘호프 지음, 이현희 옮김)

『에스페란토와 함께 읽는 논어』(공자 지음, 왕숭방 에스페란토 옮김, 오태영 에스페란토에서 옮김)

『우리 주 예수의 삶』(찰스 디킨스 지음, 몬태규 버틀러 에스페란토 옮김, 오태영 에스페란토에서 옮김)

『진실의 힘』(아디 지음, 오태영 옮김)

- 한글본
『안서 김억과 함께하는 에스페란토 수업』(오태영 지음)
『에스페란토의 아버지 자멘호프』(이토 사부로, 장인자 옮김)
『사는 것은 위험하다』(이스트반 네메레 지음, 박미홍 옮김)
『자멘호프의 삶』(에드몽 쁘리바 지음, 정종휴 옮김)
『자멘호프 에스페란토의 창안자』(마조리 볼튼, 정원조 옮김)

- 에스페란토본
『Pro kio』(Friedrich Wilhelm ELLERSIE 지음)
『Enteru sopirantan kanton al la koro』(오태영 지음)
『Kumeŭaŭa, la filo de la ĝangalo』(Tibor Sekelj 지음)

- 박기완 박사가 번역하고 해설한 에스페란토의 고전
『처음 에스페란토』(루도비코 라자로 자멘호프 지음)
『에스페란토 규범』(루도비코 라자로 자멘호프 지음)
『에스페란토 문답집』(루도비코 라자로 자멘호프 지음)